生成ＡＩ時代
あなたの価値が上がる仕事

田中道昭

青春新書
INTELLIGENCE

生成ＡＩは人間に本質を問いかけている——

はじめに——ウィズＡＩの時代に最後まで人間に求められる能力とは

米オープンＡＩによるチャットＧＰＴの登場で、生成ＡＩが一気に普及しようとしています。

かつてインターネットが広まりはじめたころ、「人工無能」というソフトがありました。挨拶や何かの話題で話しかけると、適当な挨拶や返事をするソフトでした。何となく人間的な会話が成立していましたが、内容はまったく役に立たないものでした。

そんな時代を経て、約70年前にアメリカの科学者主催によるダートマス会議で初めてテーマとなった人工知能が、チャットＧＰＴによってついに実用化されたのです。

チャットＧＰＴに質問や命令、指示を与えると、このテキスト生成ＡＩは人間と同じような自然な言葉で、ちゃんと回答を返してくれます。その回答は、驚くべきことに問題を解決し、仕事に役立ち、正確に翻訳し、なおかつプログラムまで作ってそのコードを表示してくれるものでした。

そんな人工知能によって、多くの仕事が生成AIに奪われるのではないかという予測は、すでに2015年には報告されていました。それが現実のものとなろうとしているのです。

日進月歩どころか〝秒進分歩〟で進化している生成AI。はたして生成AIは、この先どのようなことができるようになるのか。チャットGPTだけでなく、この生成AIの分野で、グーグルやマイクロソフト、アマゾンやアップルなどのビッグテックはオープンAIをどう追随しようとしているのか。

生成AIは、もちろん全能の神などではありません。しかし、すでに生成AIによって人間の仕事を代替(だいたい)している現場が出てきています。最初に出てきたのは、何と最後まで残るのではないかと思われていたクリエイターの仕事でした。次がホワイトカラー。法律の分野や経理、経営といった分野でも、生成AIが静かに浸透しようとしています。

これらの分野だけでなく、さまざまな職業で生成AIが人間に取って代わっていくことは間違いありません。そんな時代に、仕事を奪われないようにするためにはどうすればいいのか。生成AIにも奪われない仕事にはどのようなものがあるのか。そして、そのためには、どのような能力を磨いて、自分の価値をどう高めていくといいのか――。

本書では、これらの問題に対し、現在の生成ＡＩの開発状況やそもそもの歴史、問題点、そして今後予測される展開も踏まえて解説しました。

生成ＡＩ時代を生きるためには、生成ＡＩに何ができて何が不得意なのかを知る必要があります。本書が、もうそこまで来ているＡＩ共存時代をどう生きていけばいいのか、そのためのヒントになれば幸いです。

生成ＡＩ時代　あなたの価値が上がる仕事

目　次

第3章◆生成AIを牽引するビッグテック

第4章◆AIが塗り替えはじめたビジネス地図

第5章◆生成AIでなくなる仕事、生み出される仕事

第6章◆ウィズAI時代、自分の価値を高める生き方・働き方

編集協力　武井一巳
本文ＤＴＰ・図版作成　エヌケイクルー

※本書で掲載した情報は、２０２４年1月現在のものです
※本文中、１ドル＝１４５円で換算しています

第1章◆チャットGPTは
その始まりでしかなかった

◇スタート2カ月で1億ユーザーの驚異

人工知能というのは、つい何年か前まではSF小説や映画のなかの話でした。ところが最近では、新聞でもテレビでも、「人工知能」や「AI」「生成AI」といった言葉を見ない日はなくなったといってもいいほど日常会話にも頻繁に出てきます。

それほどブームになっている人工知能ですが、このブームの直接のきっかけは、2022年11月にオープンAI(OpenAI)が「チャットGPT(ChatGPT)」を発表したことでした。

オープンAIが始めたチャットGPTは、「テキスト生成AI」と呼ばれるもので、ユーザーが入力した質問や命令に対し、その答えを自然な文章(テキスト)で回答してくれるというものです。22年11月に始まるやいなや、わずか5日で会員数が100万人を超え、2カ月後には1億人のユーザーが利用するようになったのですから、いかに注目されていたかわかります。

さらに23年11月に開催された開発者会議の「オープンAI DevDay」で、チャット

ＧＰＴの利用者は週当たり1億人になったと、サム・アルトマンＣＥＯが発表しています。サービス開始から1年経過してなお、週1億人のユーザーがいるのです。

インターネットで開始されたサービスでは、たとえば世界で最も会員数の多いＳＮＳであるフェースブック（Facebook）が、会員数が１００万人を超えたのは、スタートから10カ月後でした。Ｘ（旧ツイッター）では、１００万人のユーザーを獲得するまで2年かかっています。それをわずか5日で達成してしまったのですから、いかにチャットＧＰＴが驚異的だったのかがわかります。

詳しくは後述しますが、チャットＧＰＴの急激な会員数の増加や利用数の増加を見て、まずマイクロソフト社が自社の検索エンジンであるビング（Bing）に、生成ＡＩ機能を盛り込んだサービス「新しいビング」を開始しました。それが23年2月のことでした。さらに翌3月には、ネット検索で圧倒的なシェアを持つグーグル（Google）が、テキスト生成ＡＩのサービス「バード（Bard）」を公開しています。

グーグルはバードだけでなく、ベータ版（試験版）ながら同年5月には通常の検索結果画面に生成ＡＩによって作成された要約を表示する「ＳＧＥ（Search Generative Experience）」

を開始。8月からは日本でもサービスがスタートしています。

さらに驚くことに、これらのAIを利用してテレビCMさえ制作され、10月から日本でも放送され始めたのです。画像生成AIが始まると、アマゾンの自己出版サービスであるKDP（Kindleダイレクト・パブリッシング）には、AIが作成した写真・イラスト集が次々と並び、あっという間にこの分野を席巻してしまいました。

オープンAIによって始まった生成AIは、当初のテキストだけでなく、検索でも画像でも、さらに音声や動画といったものさえ生成されるようになり、わずか1年でビジネスやメディアばかりか、人々の生活さえも大きく変革しはじめているのです。

本書でも詳しく説明しますが、この生成AIの普及によって、今後ビジネスが大きく変革されると予想されています。真っ先に影響を受けるのは、いわゆるホワイトカラーです。生成AIの普及によっては、仕事のやり方や人々の働き方が大きく変化し、失業者を大量に生み出すのではないかとさえ言われています。

生成AIは、実は大きな問題も含んでおり、ビジネスの現場や行政、教育分野では生成AIの使用を禁止したり、様子見のまま手をつけていなかったりする企業や分野もありま

（図表1-1）OpenAIのChatGPTのスタート画面

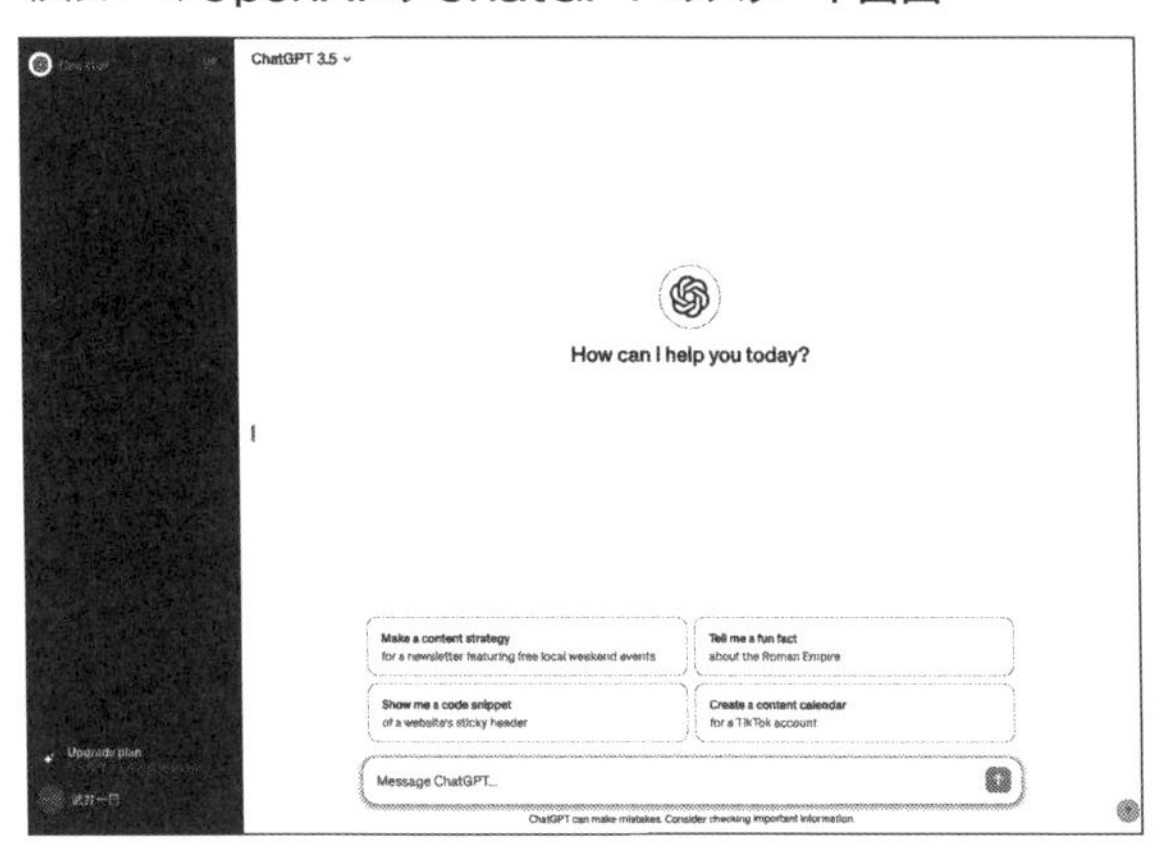

す。しかし、いつまでも様子見をしているだけでは、いずれ生成AIに仕事を奪われることになるでしょう。生成AI、あるいは現在開発が進んでいる人工知能やAIには、それほど大きなインパクトがあり、ビジネスや人々の生活を大きく変革する可能性を秘めているのです。

◇誰でも使える人工知能

生成AIブームのきっかけとなったチャットGPTは、米国のオープンAIという企業によって開発され、サービスが提供されています。

このオープンAIというのは、サンフランシスコに本社を置く企業で、実際には営利法人のオープンAI LP（Open AI LP）と、その親会社である非営利法人のオープンＡＩ Ｉｎｃ．（Open AI,Inc.）からなる企業です。実はこのオープンＡＩは、現最高経営責任者であるサム・アルトマン氏と、テスラやスペースＸ、それに旧ツイッターを買収したＸ（エックス）の株主であるイーロン・マスク氏によって、２０１５年に設立された企業です。

マスク氏は18年にはオープンＡＩの役員を辞していますが、翌19年にはマイクロソフトが10億米ドル（約１４５０億円）を出資しています。さらにマイクロソフトは23年には１００億米ドル（約１兆４５００億円）を出資し、オープンＡＩの株式の49パーセントを取得しています。

マイクロソフトが検索サービスのビングにチャットＧＰＴをいち早く搭載できたのは、そんな経緯もあるからでしょう。

22年11月に提供されたチャットＧＰＴは、驚くことに誰でもテキスト生成ＡＩという人工知能を無料で利用できるサービスでした。

最先端技術であるＡＩを、無料で利用できるのです。インターネットに接続し、ウェブページを閲覧するブラウザでチャットＧＰＴのページにアクセスし、最初にメールアドレスなどで会員登録すれば、テキスト生成ＡＩが無料で利用できたのです。

利用できるのは、ＧＰＴ３・５とよばれるエンジンを使用したものです。ＧＰＴというのは、Generative Pre-trained Transformer の頭文字をとったもので、「事前に学習させた生成可能な変換器」とでも訳せばいいでしょう。オープンＡＩが開発した言語モデルで、簡単に言えば「事前に言語の学習をさせた文章作成機」です。その３・５というバージョンのものを利用して、文章を作成できるのがチャットＧＰＴです。

さらに２月には、オープンＡＩは有料版のチャットＧＰＴのサービスも提供しはじめました。こちらはＧＰＴ４というエンジンを利用できるサービスで、月額20米ドル（約２９００円）で提供されています。

無料版サービスと有料版サービスでは、利用できる言語モデルがそれぞれ３・５と４という違いがあり、また有料版ではチャットＧＰＴの大きな特色のひとつでもあるプラグイン（拡張機能）が利用できる、といったメリットがあります。

しかし、ＧＰＴ３・５とはいえ、この生成ＡＩを利用したサービスが、誰でも無料で利用できるのですから驚きです。ＧＰＴ３・５とＧＰＴ４とでは、図表１－２のような性能

（図表1-2）GPT3.5とGPT4との違い

項目	GPT-3.5	GPT-4
パラメーター数	1.56B パラメーター（約 1750 億～ 3550 億個）	175B パラメーター（約1兆個）
トークン数	2048 文字	3万 2768 文字
学習データ数	テキストとコードの 1.56T 字	テキストとコードの 175T 字
生成・機能	テキスト生成、翻訳、質問応答など	テキスト生成、翻訳、質問応答、コード生成など
精度	テキスト生成、翻訳、質問応答においてGPT4の方が高い	テキスト生成、翻訳、質問応答、コード生成においてGPT4の方が高い

※T（テラ）＝1兆倍

の違いがあります。

大きな違いは、パラメーター数と利用できるトークン数です。ＧＰＴでは事前に膨大な量のデータを学習させ、テキストを生成する際の予測に利用します。ＧＰＴ３・５では１７５０億～３５５０億個のパラメーターが利用されるのに対し、ＧＰＴ４では約１兆個のパラメーターが利用されています。

パラメーターとは確率計算を行うための係数の集合体のことで、一般的にパラメーター数が多いということは、より複雑な学習ができることになり、それだけ精度の高いテキストが生成されることを意味しています。

トークンというのは、プログラム上で意味を持つ最小単位の文字数の並びのこと。チャットGPTでは利用できるトークン数によって、入力や出力ができる文字数が異なってきます。GPT3・5では2048文字が、GPT4では3万2768文字が利用できます。

利用トークン数が多ければ多いほど、生成するテキストにより詳しい条件を付け加えたり、あるいは文章を読み込ませたりすることができるわけです。

こうしてGPT3・5とGPT4とを比較すれば、明らかにGPT4を利用したほうがメリットがありますが、それでも無料で利用できるGPT3・5を使ってみるだけで、テキスト生成AIというものが仕事やビジネスに便利に活用できることを実感できるはずです。

◇生成AIとテキストチャットボット

チャットGPTやテキスト生成AIという言葉は耳にするが、これを利用すると何ができるのか——誰でも簡単に使えるとはいっても、実際に使ってみなければどんなことができるのかイメージできないかもしれません。そこで簡単な利用例を紹介しましょう。

（図表1-3）キーワードを指定して検索すると、関連するページが一覧表示される

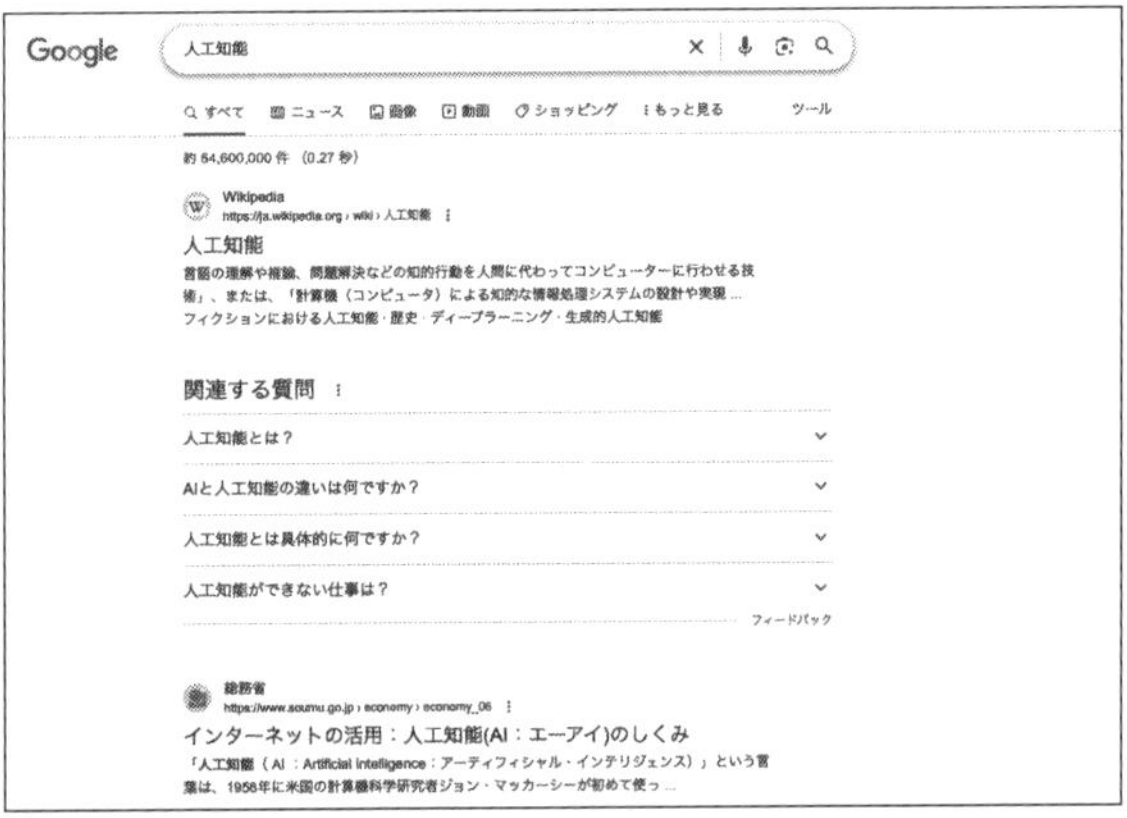

ごく簡単な利用例です。たとえば、グーグルやヤフー（Yahoo!）といった検索サイトを利用して、キーワードに「人工知能」と指定して検索してみましょう。するとグーグルでもヤフーでも、指定したキーワード、ここでは「人工知能」ですが、このキーワードについて記載されているサイトのサイト名や記事のタイトルといったものと、そのページのごくごく簡単な説明が一覧表示されていきます。

これまで利用してきたインターネット内の検索です。一覧表示されたページをザッと見て、知りたいことが掲載されているサイト、あるいは興味のあることが書かれていそうなサイトなどをクリックし、そのページに移動して内容を

(図表1-4) ChatGPTに「人工知能」について説明してもらう

You
人工知能について詳しく説明してください

ChatGPT
人工知能（Artificial Intelligence、AI）は、機械が人間の知能を模倣し、認識、学習、推論、問題解決などの能力を備える技術やシステムを指します。AIは、様々なタスクを自動的に実行するためにプログラムされたコンピューターシステムに関連しています。以下に、AIの主要な要素や種類、応用分野などについて簡単に説明します。

1. **弱いAIと強いAI:**
   - 弱いAI（ナロー・AI）は、特定のタスクに焦点を当てたAIであり、例えば、チェスのプレイ、音声認識、画像認識などが含まれます。
   - 強いAIは、広範な認知能力を有するとされ、人間のような複雑なタスクや広範なドメインでの問題解決が可能なものです。現在の技術水準では、まだ強いAIは実現されていません。
2. **機械学習:**
   - 機械学習は、AIの一分野で、データから学習し、パターンを抽出する能力を指します。主な手法には教師あり学習、教師なし学習、強化学習などがあります。
3. **ニューラルネットワーク:**

閲覧します。

検索そのものはあっという間ですが、ヒットしたページから自分が欲しい情報が掲載されているページを探し当てるのは、なかなか骨の折れる作業でした。

ところが、チャットGPTを使って「人工知能について詳しく説明してください」と指定すれば、たちどころに知りたかった情報が表示されます。

これまでの検索では、この回答に行き着くまでかなりの時間がかかったことでしょう。ところがチャットGPTなら、あっという間に詳しい解説が表示されます。

このチャットGPTの回答を読み、疑問に

思ったことを続けて質問することもできます。たとえば、「説明のなかに出てくる『機械学習』について、もう少し詳しく解説してください」と打ち込めば、機械学習についてもっと詳しい説明を返してくれます。

このようにチャットGPTでは、専門家に教えを請うように、あるいはその分野のプロと会話をするように、どんどん知識を深めていくことも可能なのです。

チャットGPTが単純にテキストを作り出す「テキスト生成AI」ではなく、チャットボットとも呼ばれているのはそのためです。チャットボットというのは、テキストや音声による対話（チャット）を通じて会話を行うソフトウェアや機能、サービスなどを指していますが、チャットGPTではこのように条件を与えてテキストを生成させるだけでなく、会話を行うように文書を生成していくことが可能なのです。

ただし、間違えてはいけません。チャットGPTは事典でもなければ、データベースでもありません。あくまで「テキスト生成AI」です。ユーザーが質問したことに対して、その説明などの文章を作成して返してくれるというものです。文章を作成しているのですから、その回答には正しいものもあれば間違ったものもあります。正しいとか間違ってい

(図表1-5)夏目漱石の『坊っちゃん』の主人公を聞いてみた

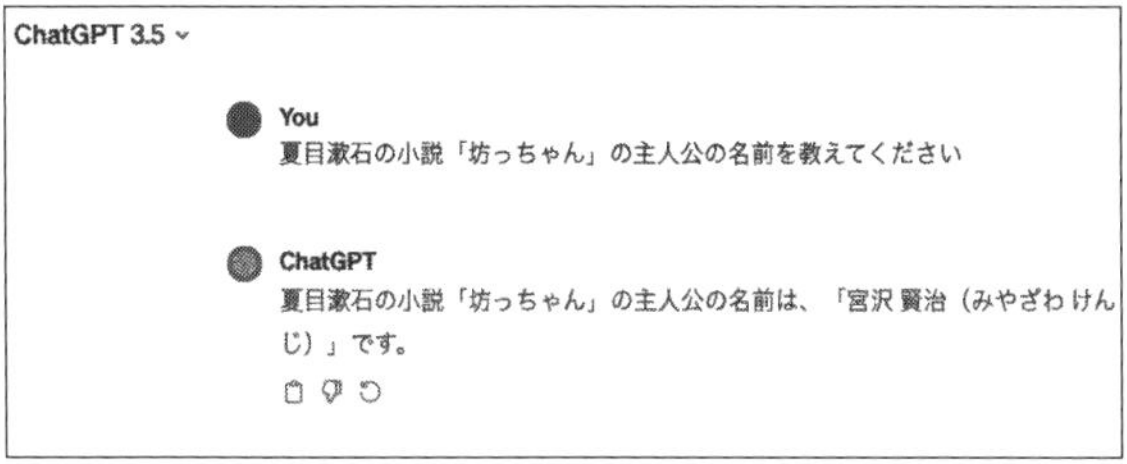

るといったことを、チャットGPT自体は判断していないのです。

たとえば、上の画面のように夏目漱石の小説『坊っちゃん』の主人公について尋ねてみました。

『坊っちゃん』の主人公について、チャットGPTは「宮沢賢治」だと答えています。もちろんこれが間違いなのは、誰でもわかるでしょう。チャットGPTは、平気でウソをつくのです。

◇仕事のアシスタントとして使う

平気でウソをつくような〝人工知能〟など、とても怖くて使えない、と呆れた読者も少なくないでしょう。

実はチャットGPTがどのようにして文章を生成しているのか、その原理がわかれば、チャットGPTをどう使いこなせばいいのかもわかってきます。ごくごく簡単に言えば、チャットGPTに代表されるテキスト生成AIというのは、既存の文献やインターネット内の記事など膨大な量のテキストを学習させ、Aという言葉が出てきたらBという言葉が続く、といった原理で文章を自動的に作成しているのです。

これが言語モデルと呼ばれるもので、学習させた膨大な量の文章データから、単語の出現確率を用いて文章を生成しているのです。

たとえば「昔々」という言葉が出てきたら、次に続く言葉として「あるところに」「の大昔」「の話」などといった言葉のなかから、より出現頻度の高い単語を選び、それに続く文章を作り出すようになっているのです。

桃太郎の話なら、「昔々」に続けて「あるところに」と文章を作っていくわけです。コンピュータ、あるいはAIが自分で文章を考えて作り出しているのではなく、与えられた質問の回答として考えられる単語を出現確率によって並べ、まるでコンピュータが考えて作り出したかのような文章を生成してくれるのです。

ただし、膨大な量の文献やネット内の文章を学習させているため、とくにビジネス関係の分野ではある程度、的確な文章を生成してくれます。たとえば、企業が新しい製品やサービスを開発し、これらのニュースリリースを作成するとき。

通常なら、企画部や宣伝部といった部署が、新製品や新サービスの概要、その特徴、リリース・販売時期などを説明したニュースリリースを作成するでしょう。直接製品の開発や製作にタッチした社員なら、リリースの内容を簡潔にまとめるのもそれほど時間はかからないかもしれませんが、そうでなければ企画者や製作部などに製品やサービスの特徴を問い合わせ、それらをもとにニュースリリースを作ることになります。

こんなとき、チャットGPTを利用すれば、ニュースリリースがほんの1時間もかからずに作成できてしまいます。たとえば、こんな具合です。

（ユーザー）

2024年3月1日より、当社（A商事）が会員向けのオンラインの健康チェックサービスを開始します。このサービスは、日々の血圧や呼吸数、運動量、睡眠時間などによって健康をチェックし、アドバイスするサービスで、月額1980円での提供。近年の健康ブームに合わせ、サービス開始と会員募集のためのニュースリリースを作成してください。

（チャットGPT）
もちろんです。以下は、会員向けのオンライン健康チェックサービスのプレスリリースの例です：

プレスリリース

A商事、会員向けオンライン健康チェックサービスの提供を開始

A商事（本社：都市名、代表取締役：氏名）は、2024年3月1日より、会員向けのオンライン健康チェックサービスの提供を開始します。

近年、健康管理への関心が高まる中、当社は会員の皆様の健康をサポートする新たなサービスを開始しました。このサービスでは、日々の血圧、呼吸数、運動量、睡眠時間などをモニタリングし、専門家からのアドバイスを提供します。

主な特徴：
・日常の健康チェック：ユーザーは手軽に日々の健康状態をチェックできます。
・専門家のアドバイス：チームの健康専門家が定期的に健康データを分析し、カスタマイズされたアドバイスを提供します。
・手軽な利用：ユーザーフレンドリーなアプリケーションで、誰でも簡単に利用できます。

このサービスは月額1980円で提供され、会員登録はウェブサイトから可能です。
A商事は、この新しいサービスの提供により、会員の皆様の健康と幸福に貢献することを目指します。

会社概要：
A商事は、〇〇〇〇を提供する企業で、〇〇〇〇なサービスで顧客のニーズに応えています。

メディアにお問い合わせいただける方へ：
会社名
担当者名
連絡先
Email：example@example.com
電話番号：012-345-6789

このニュースリリースが、ほんの5秒ほどで出力されました。もちろん、そのまま正式なニュースリリースとして発表することはできませんが、これを叩き台に必要な文章を追加・訂正するなどしてブラッシュアップすれば、通常なら1日、2日かかっていた文書が、ほんの1、2時間で作成が完了するでしょう。

前述したように、チャットGPTは「チャットボット」とも呼ばれていますから、最初から詳しい情報を与えるのではなく、会話を行うように文書を生成していくことも可能です。

（図表1-6）ChatGPTでニュースリリースを作成した

You
２０２４年３月１日より、当社（A商事）が会員向けのオンラインの健康チェックサービスを開始します。このサービスは、日々の血圧や呼吸数、運動量、睡眠時間などによって健康をチェックし、アドバイスするサービスで、月額１９８０円での提供。近年の健康ブームに合わせ、サービス開始と会員募集のためのニュースリリースを作成してください。

ChatGPT
プレスリリース

A商事、2024年3月1日より会員向けオンライン健康チェックサービスを本格提供

A商事（本社：〇〇市、社長：田中太郎）は、2024年3月1日より、会員向けの革新的なオンライン健康チェックサービスをスタートいたします。このサービスは、日常の血圧、呼吸数、運動量、睡眠時間などをモニタリングし、健康の状態を継続的に評価し、専門のアドバイスを提供するものです。これにより、会員の皆様がより良い健康状態を維持し、健康なライフスタイルの構築をサポートします。

サービスの特徴:

1. **継続的なヘルスモニタリング:** 日々の健康データをオンラインで記録し、専用のアプリを通じて簡単にアクセス可能。
2. **専門的なアドバイス:** 豊富なデータから得た情報をもとに、専門家による個別の健康アドバイスを提供。

たとえば、前記の例のように、ニュースリリースを作成するとしましょう。

（ユーザー）
新サービスのニュースリリースを作成したいのですが、そのためにはどのような情報が必要ですか。

（チャットGPT）
新サービスのニュースリリースを作成する際には、以下の情報が必要です：
1・タイトル：ニュースリリースのタイトルは新サービスの内容を簡潔に表すものであるべきです。
2・リード文：タイトルの下に来る最初の文で、新サービスの要点を強調します。

3・本文：新サービスの詳細について説明するセクション。特徴や利点、提供方法、価格などを含めます。
4・リリース日：ニュースリリースの発表予定日を指定します。
5・会社情報：発表企業の基本情報を提供します。会社名、所在地、連絡先などが含まれます。
6・関連画像やビデオ：新サービスを示す画像やビデオがあれば、それらの提供も考えてください。
7・問い合わせ先：メディアや読者からの問い合わせ先の情報を提供します。担当者の名前、連絡先、電子メールアドレス、電話番号などが含まれます。
8・ソーシャルメディアへのリンク：企業のソーシャルメディアのアカウントへのリンクがあれば、追加しておくと良いでしょう。
9・引用：新サービスに関心を持っているリーダーや専門家の発言からの引用を追加することで、信頼性が高まります。

以上の情報をまとめてニュースリリースを作成することで、新サービスの発表を効果的に伝えることができます。


（ユーザー）

1は「新健康サービスを開始」としてください。


（チャットGPT）

了解しました。「新健康サービスを開始」をタイトルに含めます。ありがとうございます。

他に何かお手伝いできることはありますか？

（後略）


こんな具合に、チャットGPTと会話をしながら、新サービスのニュースリリースの作成ができます。チャットGPTからの質問に答えていくことで、必要事項をチャットGPTがうまくまとめ、最終的に目的のテキストを生成させることができるのです。

テキスト生成ＡＩというと、何となく難しいことをやらなければならないような気にさせられますが、チャットボットだとすれば誰でも、どんな部署でも、これを簡単に利用しながら仕事に活用できることがおわかりでしょう。チャットＧＰＴ、あるいはテキスト生成ＡＩは、仕事を任せられる夢のような機能、サービスなどではなく、仕事の有能なアシスタントとして、あるいは事務作業の生産性を上げるツールとして、十分に活用できるサービスなのです。

◇覇権を競うChatGPT、Bing、Bard

オープンＡＩによるチャットＧＰＴの登場で、まず動いたのがマイクロソフト社でした。前述したように、マイクロソフトはオープンＡＩの49パーセントの株を持つ大株主です。チャットＧＰＴが公開された翌23年2月には、マイクロソフトの検索サービスであるビング（Bing）にチャットＧＰＴを搭載し、「新しいビング」のサービスを開始しています。

インターネットの検索サービスでは、圧倒的にグーグル（Google）がシェアを持っています。マイクロソフト社もビングで検索サービスを提供していますが、そのシェアはごく

（図表1-7）Microsoft社の「新しいBing」

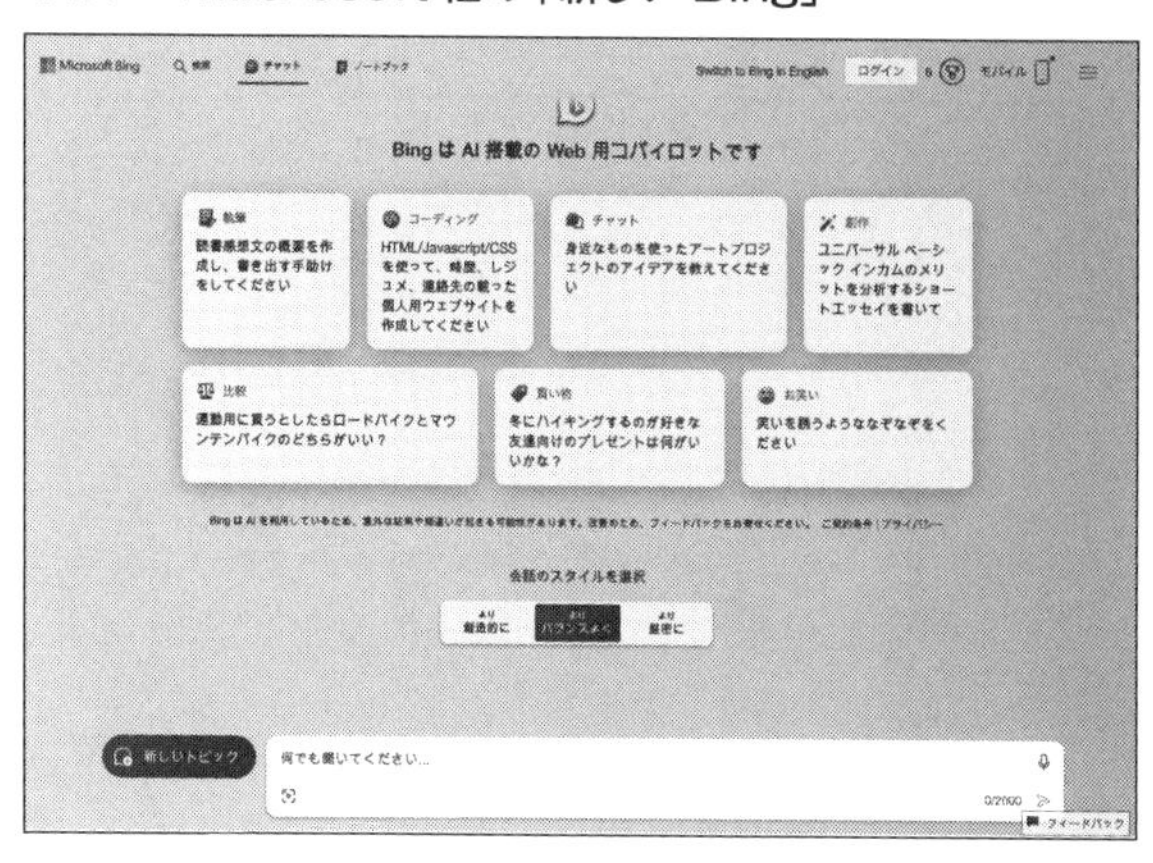

わずかです。

ウェブトラフィック（インターネット上を流通するさまざまなデータ量）を計測している米スタットカウンター（StatCounter）によれば、世界の検索エンジンのシェアは23年9月現在、グーグルが91・58パーセントという圧倒的なシェアを占めていました（図表1－8）。第2位がビングで3・01パーセント、以下ヤンデックス（YANDEX）、ヤフー、バイドゥ（Baidu）と続きますが、グーグルがあまりに圧倒的すぎて、他を寄せつけません。

世界の検索エンジンの圧倒的なシェアを持つということは、すなわち検索サービスのページに掲載される広告も圧倒的に独占できるということで

（図表1-8）検索エンジンのシェア（StatCounterより）

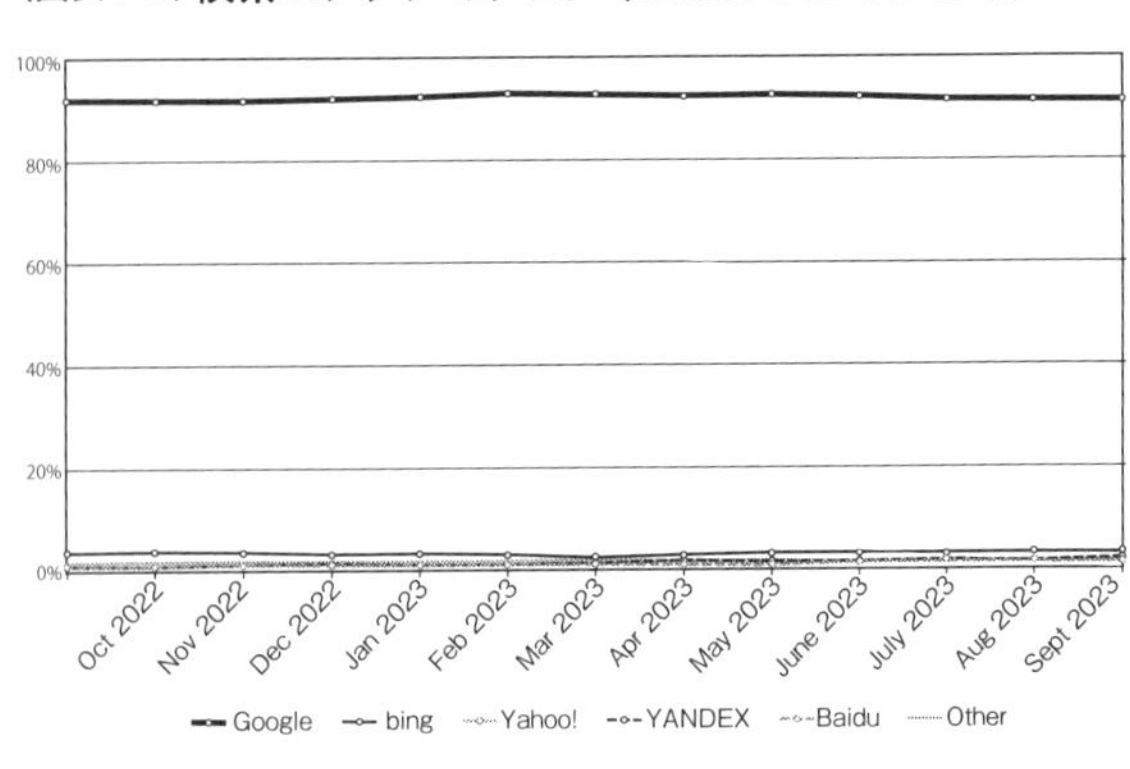

す。この状態をなんとか挽回しようと考えたのでしょう。それがビングにチャットＧＰＴを搭載した「新しいビング」です。マイクロソフトは検索サービスに、いち早くＡＩを取り込むことで、〝打倒グーグル〟を目指して追い上げようとしたのです。

　グーグルは良くも悪くも、広告収入に大きく依存する企業です。その屋台骨となるのが、検索サービスですが、検索サービスに生成ＡＩを盛り込むのは諸刃（もろは）の剣（つるぎ）ともいえます。

　というのも、グーグルの検索ページでは、ユーザーが指定したキーワードなどに沿って関連するページを一覧表示してくれますが、このとき広告も掲載されています。検索ページに生成ＡＩを利用してテキストを表示すると、ユーザーはこれで用が足りて検

（図表1-9）Googleが提供しているBard

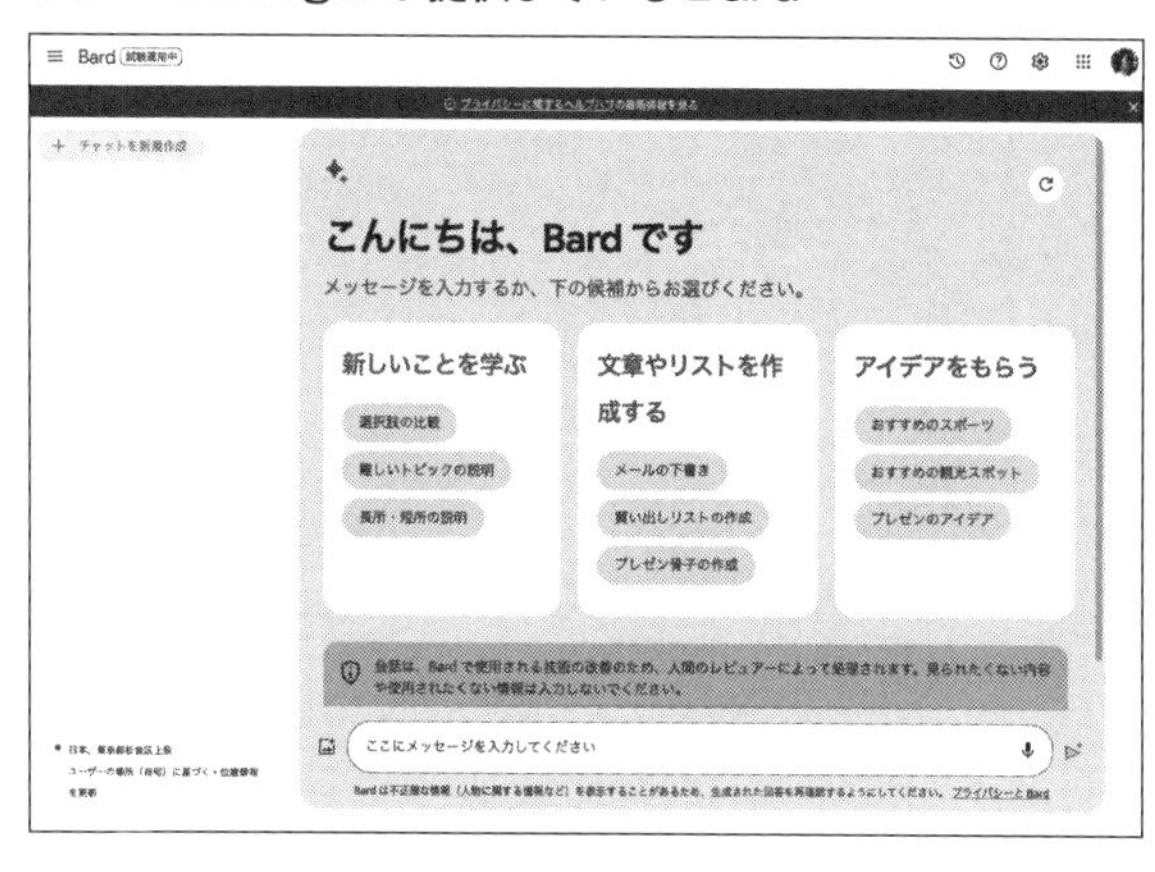

索結果にまで目を通す必要がなくなります。

実際、マイクロソフトの「新しいビング」は、生成AIを利用することでユーザーを集めましたが、それが広告収入に結びついていません。

そこでグーグルは、検索サービスとは別に「バード（Bard）」という生成AIのベータサービス（試運転サービス）を開始しました。これがビングの開始から遅れること約1カ月後の、23年3月です。チャットGPTやビングの盛り上がりで、急遽サービスを開始したといった感じでした。

さらにグーグルでは、同年5月には米国でSGE（Search Generative Experience）をスタートさせています（日本では同年8月から）。こちらもベータ版という位置づけですが、グーグルの従来

(図表1-10) SGEなら検索結果に生成AIの回答も表示される

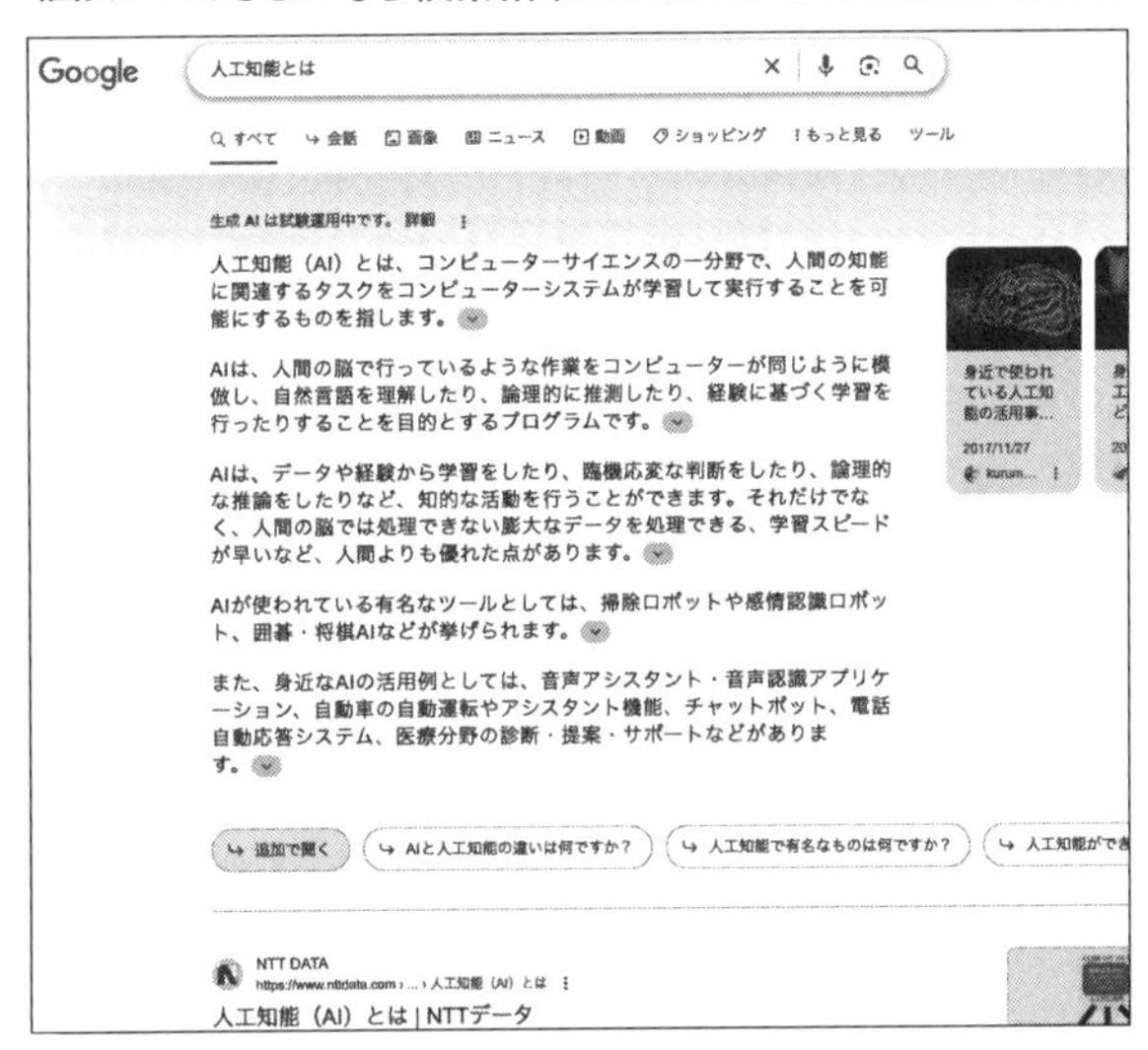

の検索ページで、ユーザーが指定した質問やキーワードなどをもとに、検索結果の前に生成ＡＩによってその回答を表示してくれる機能です。もちろん、検索結果に広告も表示されます。

このＳＧＥによって、グーグルは検索と生成ＡＩとを融合させ、新たな検索サービスの形を作り出したといっていいでしょう。

生成ＡＩのサービスを開発・提供しているのは、マイクロソフトやグーグルだけではありません。アマゾンは23年11月、ＡＷＳ（Amazon Web Services）で業務に合わせてカスタマイズできる生成

ＡＩアシスタントの「アマゾンＱ」を発表しました。また、9月末には生成ＡＩ開発の米新興企業であるアンソロピック（Anthropic）と戦略提携し、40億ドル（約５８００億円）を出資すると発表しています。

21年10月に、社名を「メタ・プラットフォームズ（Meta Platforms.Inc.）に変更したＳＮＳの老舗フェイスブック（Facebook）は、社名通りメタバース（３次元仮想空間）に大きく舵を切ろうとしていますが、一方で、かねてから開発に取り組んでいたメタＡＩを、メッセンジャー（Messenger）やインスタグラム（Instagram）といった同社のＳＮＳに導入すると発表しています。

生成ＡＩの分野でも、従来からＩＴ業界を牽引（けんいん）してきたビッグテックのＧＡＦＡＭが大きな存在感を示し、まるでＡＩ戦国時代ともいえる様相を呈してきているのです。

◇株価が高騰するエヌビディア

チャットＧＰＴや「新しいビング」といった生成ＡＩの登場は、職業や企業、業種、業界などにさまざまな影響をもたらすといわれています。本書では、これらの点について具体的に解説しますが、端的に激変した企業の例として、エヌビディア（NVIDIA）の例を挙げておきましょう。

エヌビディア（NVIDIA Corporation）は、米国の半導体メーカーです。このエヌビディアの時価総額が、23年5月には一時1兆ドル（約145兆円）を超えたのです。同時期の時価総額ランキングでは、アップル、マイクロソフト、サウジアラムコ（サウジアラビア王国の国有石油会社）、アルファベット（グーグル）、アマゾンに次ぐ6位となったのです。

ちなみに時価総額というのは、企業の価値や規模を評価するときの指標のひとつで、日本のすべての企業の時価総額を合わせると6～7兆ドルとされていますから、エヌビディアの1兆ドルというのがどれほどの額かわかろうというものです。

「1兆ドル企業」は、2018年にアップルが初めて達成しましたが、米ビッグテック企業などまだ数社しか達成していません。エヌビディアは景気後退懸念やパソコン需要の落ち込みの影響を受け、21年11月から株価も下落していたのですが、22年10月に上昇に転じ、それからわずか7カ月で最高額を更新したのです。

売上額で見ても、エヌビディアの躍進ぶりがわかります。エヌビディアのここ数年の売上高をグラフにすると、図表１－11のようになります。

グラフを見てもわかるように、２０２１年には急激に売上額が増えており、前年比１６０パーセントという驚異の伸びを示していますが、その成長の要因が、生成ＡＩなのです。

チャットＧＰＴは22年11月に公開されていますが、生成ＡＩそのものはもう少し前から始まっています。そしてこの生成ＡＩを実現するためには、データセンター向けのＧＰＧＰＵ（General-purpose computing on graphics processing units）が不可欠です。

ＧＰＧＰＵは、ＧＰＵというリアルタイム処理に特化した画像処理用のプロセッサを、画像処理以外の目的に応用した技術です。ビッグデータなどの科学計算に対し、大量の計算を実行できるため、生成ＡＩには不可欠なプロセッサです。

ＧＰＵは、近年流行している３Ｄゲームなどでも

（図表1-11）NVIDIAの売上高推移

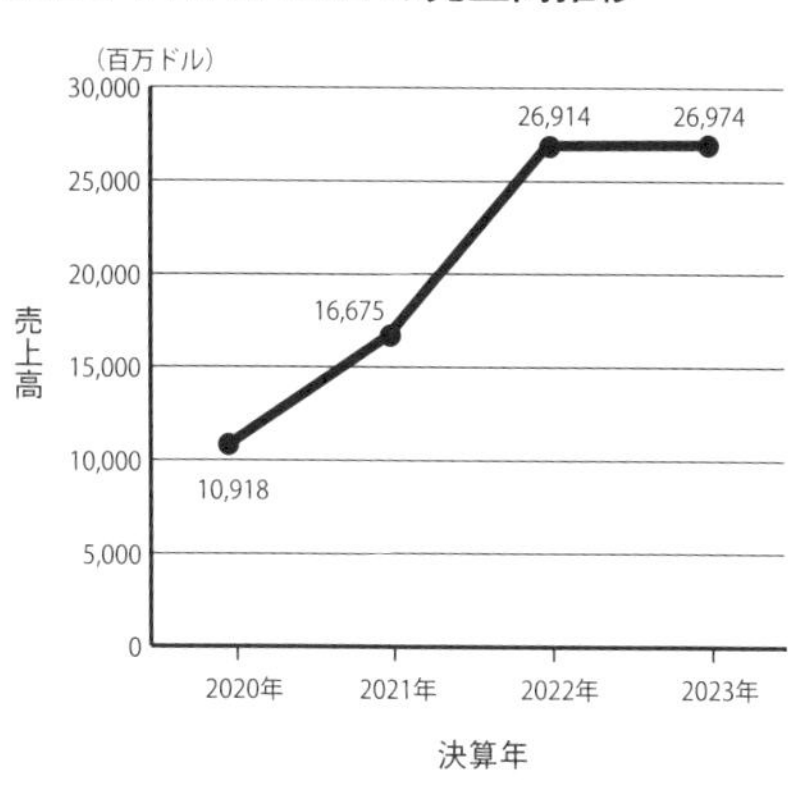

必要不可欠ですが、このGPUプロセッサで80パーセント以上のシェアを持つといわれているのがエヌビディアです。3Dゲームなどの興隆で注目されていた同社ですが、ゲーム用GPUよりもむしろデータセンター向けの製品が伸び、さらに生成AIアプリケーションの学習・推論にGPUを使用する企業からの需要がデータセンターグループの伸びを牽引し、その結果として、時価総額1兆ドルを超えるまでに成長したといっていいでしょう。

生成AIと、その学習の元となるデータを蓄積するデータセンターの増加により、半導体メーカーであるエヌビディアが大きく成長したのです。

生成AIは、ビジネスや人々の生活を変革するだけでなく、企業や業界そのものをも大きく変革する可能性も秘めているのです。

◇「生成AI」が描いた絵画がコンテストで優勝

生成AIというと、チャットGPTに代表されるテキスト生成AIが注目されていますが、実は生成AIにはテキストのほか、画像や音声、動画など、さまざまなものを生成するAIもすでに出現しています。

たとえば、前述のように23年秋には生成ＡＩで作成されたＣＭが放映されています。これは茶製品や清涼飲料水メーカーの伊藤園が、同年9月にリニューアル発売した「お〜いお茶　カテキン緑茶」のテレビＣＭとして、生成ＡＩで作成したモデルを起用したものでした。

ちょっと見ただけでは、ＡＩによって作成されたモデルとはまったく気づかないＡＩタレントですが、ＣＭに生成ＡＩが利用されたことで大きな話題となりました。

ＣＭだけではありません。22年8月に米コロラド州で開催されたアートコンテストで、画像生成ＡＩを利用して作成された作品が、なんと最優秀賞を受賞してしまったのです。制作者が受賞後に「画像生成ＡＩで作成した」と明かしたことで、アートとＡＩの関係をめぐってさまざまな議論が沸騰しました。

あるいは、小説。米国で２００６年に創刊されたＳＦ小説誌「クラークスワールド・マガジン（Clarkesworld Magazine）」は、年間1万２０００件以上もの小説の応募があるそうですが、23年には前年の約35倍もの応募があり、同社ではすべての応募の受け付けを中止する、とＸ（旧ツイッター）でツイートしています。

もちろんこれは、チャットＧＰＴのような生成ＡＩの影響で、同社の編集者ニール・クラーク（Clarke）氏は「これだけ大規模に盗作や人為的に生成されたコンテンツの応募は経験したことがない」と述べています。

23年5月には、米ハリウッドで映画脚本家を中心に約1万１５００人で構成される全米脚本家組合（ＷＧＡ）のメンバーによる大規模なストライキが行われています。11月まで約半年にわたって行われたこのストは、脚本家を中心に労働条件の改善を求めて抗議したもので、ＡＩの利用によって脚本家などの職が奪われないよう、さらにＡＩが俳優の肖像権を侵害しないように、といったことを争点としていました。

5月から１１８日間にわたって行われたストライキは、11月8日に全米映画テレビ制作者協会（ＡＭＰＴＰ）と、ＡＩの利用やストリーミングの二次使用料を巡る合意に達していますが、ＡＩ関連の部分にはまだ合意に達していない問題も残されており、今後またストライキが起こることも予想されています。

ＡＩによって職が奪われるのではないか、失業するのではないか、といった懸念は、脚本家や俳優だけの問題ではありません。生成ＡＩによって作られたテレビＣＭが出現したことからもわかるように、現在でも生成ＡＩによってさまざまな分野で職業が奪われ、多くの人々が失業すると予想されているのです。ＡＩによって失われる雇用は、何と世界で、3億人分になるとも試算されています。

◇やがて3億人の失業者が出る！

米投資銀行ゴールドマン・サックスが23年3月に発表した報告書（The Potentially Large Effects of Artificial Intelligence on Economic Growth）によれば、生成ＡＩは3億人分のフルタイムの仕事に匹敵する可能性がある、と報告されています。

ＡＩは新たな業務を生み出し、生産性を急上昇させ、今後10年以内に世界のモノとサービスの年間総価値を7パーセント引き上げると予測し、生成ＡＩが人間の仕事と見分けがつかないコンテンツを作り、その結果、人類に大きな進歩をもたらす、とまで記載されていました。

これは生成ＡＩの利用によって、大幅に仕事の生産性が上がり、その結果として世界で3億人が失業する可能性があると言っているのと同じです。

同報告書では、ＡＩはさまざまなセクターの雇用に影響を与え、事務部門で46パーセント、法務で44パーセントが自動化され、建設でも6パーセント、保守では4パーセントの影響があると予測しています。それらのトータルとして、フルタイムでの3億人です。

3億人という数字は、大きすぎてその実態が把握できないかもしれませんが、日本の労働人口が約7000万人だといえば、3億人というのがとんでもない数字だということがわかるでしょう。

ゴールドマン・サックスの報告書によれば、この3億人分の仕事というのは、アメリカとヨーロッパの仕事の4分の1に当たるそうです。

同報告書には、ＡＩに影響を受けると予想される割合も記載されており、それによれば「米国の雇用のうち約3分の2はＡＩによって自動化され、業務の25～50パーセントがＡＩに取って代わられる可能性がある」としています。

ただし注意したいのは、ＡＩによる3億人分の仕事というのが、そのまま3億人の失業を意味するものではない点です。

ＡＩによる影響はかなり大きいのですが、ＡＩは仕事の自動化や効率化に寄与し、現在の仕事を補完する可能性が高い点です。ＡＩに取って代わられるのは、米国の雇用のうちの７パーセントで、ＡＩに補完される部分が63パーセント、残り30パーセントは影響を受けないだろう、とゴールドマン・サックスの報告書には記述されています。

また、現在の労働人口の60パーセントは、１９４０年には存在しなかった職業に就いているという調査結果もあります。

生成ＡＩの出現とその普及によって、今後10年以内に3億人分の仕事がＡＩに取って代わられるとともに、仕事の生産性や自動化が進み、現在の仕事の多くの部分がＡＩに補完されると予測されているわけです。その結果、ＡＩに仕事を奪われて失業する人も出てくるでしょう。そうならないためには、今から仕事のなかでどうＡＩを使いこなしていくかを模索することが急務となっているのです。

◇ＡＩに7割の仕事が奪われる⁉

生成ＡＩが仕事に深刻な影響を与えると予測するのは、ゴールドマン・サックスだけではありません。たとえば、ＩＴアドバイザリ企業の米ガートナー（Gartner）。

ガートナーは米コネチカット州スタンフォードに本拠を置く業界最大手のＩＴアドバイザリ企業ですが、同社によれば、２０２４年には管理職の日常業務の69パーセントがＡＩによって代替されるようになるという見通しが、すでに20年に発表されています。日常業務の約7割です。

管理職の仕事というのは、情報の更新やワークフローの承認といった業務が多く、これらはＡＩによって自動化することで、大幅に効率化することができます。

もちろんガートナーの予測より、実際にはＡＩの導入は遅れています。19年当時、ガートナーは「23年までにＡＩや新興技術が仕事のハードルを下げ、障害がある人々の採用数が3倍に増える」とも予測していますが、23年時点ではまだそこまでＡＩは普及していません。

ただし、このガートナーの予測は数年遅れで日本にも訪れるでしょう。そして7割もの仕事がＡＩに代替されるようになれば、管理職の役割は部下の目標設定や学習、さらに従業員のエクスペリエンス（業務上で得るすべての経験）の改善やスキル開発、組織におけるＡＩ活用の育成、といったことが仕事の中心になるとも予測されます。

今後ＡＩが、仕事のいたる部分で導入されていくのは必至です。そのとき必要なのは、そのＡＩをどう活用するのか、その活用法や活用するためのスキルの育成など、ＡＩを管理して活用していく業務なのです。

日本では、仕事の現場にＡＩを導入することをためらう企業も少なくありません。たとえば、鳥取県では平井伸治知事が「答弁資料の作成だとか、予算の編成だとか、重要な政策決定では県庁の職員にチャットＧＰＴの使用は禁止したいと思います」と23年4月の記者会見で宣言しています（同年7月、暫定使用を認める）。

一方、神奈川県横須賀市では、自治体専用のチャットツールにチャットＧＰＴのＡＰＩ機能（Application Programming Interface：ソフトやプログラム、ウェブサービスの間をつなぐインターフェース）を連携させ、すべての職員が文章作成や文章の要約、誤字脱字のチェック、アイデア創出といった作業にＡＩを活用することを推進しています。

このように企業や自治体によっても、ＡＩへの対応が両極端に振れています。しかし、ＡＩの普及で7割の仕事が何らかの形で代替され、世界で3億人が失業すると予測されていれば、どうＡＩを導入し、活用していくかをすぐにでも模索せざるを得ないはずです。

ＡＩや生成ＡＩは、一過性のブームではありません。今後のビジネスや日常生活、あるいは世界のあり方そのものをも変革するものです。

23年4月3日付けで東京大学のホームページには、太田邦史（くにひろ）副学長が生成ＡＩの登場は「原子力やコンピュータの登場に匹敵する変化」との声明を出し、その活用が遅れると「日本は競争力を失う」との危機感を新聞社のインタビューでも語っています。

この大きな変化に、企業ばかりかすべてのビジネスパーソンは乗り遅れるわけにはいかないのです。生成ＡＩとは何なのか？　それはビジネスや企業にどのような影響を与えるのか？　そしてどう活用していけばいいのか？——次章からそれらの疑問に対して詳しく説明していきましょう。

第2章◆

「生成ＡＩ」が従来のＡＩと決定的に違うこと

◇ダートマス会議から始まった夢の人工知能

チャットGPTの登場で、生成AIや人工知能、AIといった言葉が身近なものになりましたが、そもそもAIという言葉が登場したのは、いまから70年近く前、1956年のことです。

AIというのはArtificial（人工の）Intelligence（知能）の頭文字をとった言葉ですが、この用語は1956年に米ニューハンプシャー州ハノーバーにあるダートマス大学で、計算機科学者のジョン・マッカーシーらが主催したダートマス会議（Dartmouth Conference）で使用したのが始まりとされています。会議とはいっても、基本的にはブレーンストーミングの場でワークショップのようなものだったそうですが、この会議の提案書に「人工知能（AI）」という言葉が使われたのが始まりです。

この会議によって、AIが新たな分野として確立しましたが、続く60年代はいわば第1次AIブームとも呼べるものでした。

遡る（さかのぼる）こと1951年に世界最初の商用コンピュータのUNIVAC 1（ユニバック ワン）（UNIVersal

Automatic Computer Ⅰ）が登場し、52年にはアメリカ大統領選の結果を予測したことで話題となっています。同じく52年にはＩＢＭが、54年にはバローズといったメーカーから大型コンピュータが登場し、商用コンピュータ市場に参入しています。これらの大型コンピュータの登場で、ＡＩの研究が行われるようになっていったのです。

同じ頃、現在のＡＩを語る上で重要なキーワードとなる技術の研究も進められていました。ディープラーニングです。

ディープラーニングというのは、「深層学習」とも呼ばれるもので、人間や動物のニューロン（脳神経回路）の仕組みを模して作られ、コンピュータが自動で大量のデータを解析し、それらのなかからデータの特徴を抽出する機械学習の技術です。

大型コンピュータの登場と、ディープラーニングのコンセプトによって、続々とＡＩに関する研究が行われるようになりました。これが第1次ＡＩブームの始まりです。

ただし、これらの研究によってもたらされた成果は、ごく限定的なものでしかありませんでした。当時のＡＩは、簡単なパズルやゲームといった、明確なルールが存在する問題に対しては高い性能を発揮しましたが、さまざまな要因が複雑に絡み合うような課題を解くことはできず、次第にブームが下火になっていきました。

◇AI冬の時代から第2次ブームへ

70年代から80年代初頭にかけて、AIブームは徐々に下火になり、「冬の時代」に入っていました。AIは本当に人間のように考えられるのかといった疑問が生まれ、研究支援が滞り、人々の失望を招いていたのです。

再びAIに注目が集まったのは、80年代に入ってからでした。80年代に入るとコンピュータが普及しはじめ、銀行がオンラインで接続されてネットワーク化され、取引が電子化されるようになっていきます。

そんな状況の変化で第2次AIブームを引き起こすことになったのが、エキスパートシステムの実現です。

エキスパートシステムというのは、特定の分野の知識を持ち、コンピュータが専門家のように推論や判断をし、複雑な問題を解いていくシステムのことです。システムそのものは、AIの研究とともに70年代から研究開発が進んでいましたが、80年代になって広く商用利用されるようになっていきました。

たとえば、82年には通産省（現経済産業省）の新世代コンピュータ技術開発機構（ＩＣＯＴ）による「第五世代コンピュータプロジェクト」という国家プロジェクトが進められましたが、このプロジェクトで活用されたのもエキスパートシステムでした。５７０億円もの予算が投入された一大プロジェクトでしたが、膨大なデータを入力したり、問題解決のためのルール化を人力で行ったりする必要があるなど課題もあり、一部のシステムでのみエキスパートシステムが活用されたにすぎません。

ただしこのエキスパートシステム自体は、現在でもさまざまな企業に導入されています。アマゾンや楽天市場といったＥＣサイトで買い物をすると、次に訪れたときに興味のありそうな商品をおすすめとして表示してくれたりしますが、このレコメンド機能もエキスパートシステムを利用したものです。

あるいは、アップルのスマートフォンに搭載されている「シリ（Siri）」。話しかけるだけでスマホの操作を行ってくれるアシスタント機能ですが、これは66年にマサチューセッツ工科大学のジョセフ・ワイゼンバウム氏によって開発された「イライザ（ELIZA）」という自然言語処理プログラムが元となったといわれています。

このイライザは、特定のキーワードに反応する回答パターンを事前に複数用意しておき、入力された文章に含まれるキーワードに反応して、用意されている定型文を返すというものので、エキスパートシステムの原点ともいえるものです。

このエキスパートシステムを企業が積極的に導入しはじめたのが、80年代に入ってからでした。これが第2次ＡＩブームです。

しかし、これらのエキスパートシステムでは必要な情報をオペレーターが入力で入力する必要があり、膨大な知識を入力するのに限界がありました。当時はまだコンピュータ自身が、必要な情報を自ら収集して蓄積するといった能力がなかったのです。

また、緻密なエキスパートシステムを組み立てても、当時のコンピュータでは例外処理のような矛盾したルールに対応できなかったため、活用できる分野や領域が限られていました。それらの理由で、第2次ＡＩブームも次第に下火になり、やがて再び冬の時代に入っていくことになったのです。

◇第3次ブームを決定づけたディープラーニングとは

２０００年代になると、再びＡＩブームが訪れます。これが第３次ＡＩブームです。この第３次ＡＩブームを牽引したのが、ディープラーニングなどの技術の登場でした。

ディープラーニングというのは、前述したように、人間の脳の構造を摸倣したニューラルネットワークを用いた機械学習技術です。複雑なパターンを認識させたり、予測させたりすることもできます。コンピュータの能力が向上し、さらにインターネットの発展によって膨大な量の学習データが得られるようになったことで、ディープラーニングが可能になってきたのです。

このディープラーニングの登場で、ＡＩは自然言語処理ばかりでなく画像処理や音声認識など、さまざまな分野で人間と同等、あるいは同等以上の性能を発揮するようになってきました。ＡＩの応用範囲が大きく広がり、それによってＡＩの実用化が進んでいったのです。

ディープラーニングとともに、第３次ＡＩブームを牽引したのが、ビッグデータの活用とハードウェアの進化でした。

(1) ビッグデータの活用

ディープラーニングを実用化するためには、大量のデータを学習させることが必要です。学習させるデータ量が多ければ多いほど、学習結果の精度が高くなっていきます。ＡＩの研究開発にとって、ビッグデータの活用は不可欠なのです。

(2) ハードウェアの進化

ディープラーニングでは大量の計算を必要とするため、そのためのハードウェアの進化も不可欠でした。２０００年代に入るとコンピュータの普及により、ハードウェアも進化してきました。これがＡＩの研究開発を加速していく要因ともなったのです。

これらの第3次ＡＩブームによって、現在につながるいくつかの成果も見られました。

まず、画像認識。グーグルの画像検索やアマゾンの顔認証といった画像認識技術は、現在ではなくてはならない技術ですが、これらの画像認識技術は、第３次ＡＩブームによって実現した成果といっていいでしょう。

さらにグーグルが提供しているグーグル翻訳や、アップルのシリなどの音声アシスタントも、ディープラーニングによって可能になってきました。自然言語処理機能です。シリだけでなく、アマゾンからはアマゾン・エコー（Amazon Echo）、グーグルからはグーグル・ホーム（Google Home）といったスマートスピーカーが登場していますが、これらの音声認識技術も、第３次ＡＩブームの成果といえるものです。

第３次ＡＩブームは、私たちの生活やコミュニケーションをより便利にしてくれる機能やサービスを提供する方向へと、ＡＩの研究開発が進んだ時期だといっていいでしょう。

◇第４次ＡＩブームの到来

ディープラーニングの登場によってＡＩの応用範囲が広がり、いくつかの機能やサービスの実用化が進んだ時期が第３次ＡＩブームだったとすれば、現在は第４次ＡＩブームとも呼べる時代です。

この第4次AIブームは、20年以降に始まったAIブームの盛り上がりを指しています。このブームには、次のような大きな特徴があります。

(1) 大規模言語モデルの登場

現在のAIブームの盛り上がりは、大規模言語モデル(LLM:Large Language Model)の登場によって一気に進んだものです。

大規模言語モデルというのは、膨大な量のテキストデータを学習させることで、人が書いたような自然な文章を生成できるAIモデルです。オープンAIのチャットGPTや、グーグルのバード(Bard)といったテキスト生成AIと呼ばれるサービスは、この大規模言語モデルによって実現されたものです。

この大規模言語モデルの登場により、AIの応用範囲は自然言語処理だけでなく、創造性やコミュニケーションなど、これまで人間にしかできないと考えられていた分野にまで拡大しつつあります。

（2）クラウドコンピューティングの普及

クラウドというのは、英語で「雲」を指す「cloud」のことです。これまでコンピュータはスタンドアローン、つまり単独で動作していました。これが90年代末のインターネットの普及によって、コンピュータがオンラインで接続されることで、さまざまなコミュニケーションやサービスを楽しむことができるようになりました。コンピュータが接続されているインターネットの先は、あたかも雲のなかにあるように、クラウドという概念でコンピュータや各種サービスの結びつきを表すようになりました。

このクラウドを活用することを、「クラウドコンピューティング」と呼んでいます。これは２００６年にグーグルの最高経営責任者であったエリック・シュミットが提唱したもので、コンピュータをクラウドに置かれたサーバーやストレージに接続してネットワークを作り、データベースやソフトウェアなどを利用します。このクラウドを利用することで、オンラインで必要なときに必要なサービスが受けられるようになり、さまざまな業務が効率化されてきました。

現在のＡＩは、クラウドコンピューティングが普及したことによって実現されています。

（3） AI倫理の議論の活発化

ＡＩの技術的進歩にともない、ＡＩの倫理や社会問題への関心も高まってきました。ＡＩの偏見や差別を防止するための対策や、ＡＩの安全性やセキュリティを確保するための対策などが進められ、それによって実際にＡＩを活用することが進んだのです。

生成ＡＩを中心とする第４次ＡＩブームはまだ始まったばかりですが、すでに教育分野や医療、製造現場などでＡＩが実用化されはじめています。ＡＩを活用することで、さまざまな分野で生産性が向上し、人々の日常生活や社会に大きな変化をもたらすことも期待されています。

◇突然あらわれたオープンAI

本書の冒頭にも記したように、２０２２年11月にオープンＡＩ（OpenAI）が突如としてチャットＧＰＴを開始し、またたく間に大きなブームとなりました。

チャットＧＰＴは、テキスト生成ＡＩと呼ばれるＡＩで、機械学習と自然言語処理技術を利用して、人間が理解できる自然な文章（テキスト）を生成するＡＩです。大量のテキストデータからキーワード、フレーズ、パターンといったものを抽出し、それぞれのキーワードの関連性や重要度に基づいて情報を整理します。これによって、人間の書いた文章を分析し、その回答において人間が書いたものと見分けがつかないような文章を生成します。

もちろん、チャットＧＰＴの機能はそれだけではありません。文章を要約したり翻訳したり、あるいはプログラムを生成したりもしてくれます。チャットＧＰＴが行える機能を簡単に分類すれば、次のようなことです。

・コンテンツの生成

与えられたキーワードをもとに、文章を生成します。ニュース記事やブログ記事、ウェブコンテンツ、さらに小説や脚本、ビジネス文書、企画案、メール文などさまざまなコンテンツを生成できます。

・翻訳

指定した文章の翻訳ができます。日本語の文章を英文に翻訳したり、逆に英文を日本語にしたりするといったことから、中国語、フランス語、ロシア語などさまざまな言語に対応しています。

また、日本語でも関西弁に直したり、「ですます調」を「である調」に書き換えたりすることもできます。

・要約

長い文章を要約できます。プロンプト（命令を与える欄）に文章を入力すると、指定された文字数などで要約して回答してくれます。

また、単に要約するだけでなく、「小学生にもわかるように」「２００字以内で」といった条件を指定することで、それらの条件に合った回答を返してくれます。

翻訳と同じように、長い英文などを指定し、その文章を翻訳して３００字以内で要約する、などといった指定も可能です。

・質問への回答

辞書や辞典を調べるのと同じように、チャットGPTに質問をすると、その回答を返してくれます。

ただし、表示された回答が正しいとは限りません。チャットGPTはテキストを「生成」するのであって、正しい「答え」を回答するのではないためです。

・創作

小説や脚本といったコンテンツだけでなく、与えられた条件によって新しいアイデアを生み出して回答させることもできます。

第1章でも述べたように、サービスが公開されたとき、チャットGPTはGPT3・5と呼ばれる大規模言語モデルを利用して、さまざまな種類のテキストを生成する能力を備えていました。

この大規模言語モデルのなかでＧＰＴ３・５は、１７５０億〜３５５０億個のパラメーターを持っています。一般的にはこのパラメーター数が多ければ多いほど、精度の高い文章の生成が可能になっています。

オープンＡＩが開発している大規模言語モデルは、ＧＰＴ３・５のほか、有料版のチャットＧＰＴではＧＰＴ４というバージョンが採用されています。

◇誰でも使えるようになった人工知能

前述したように、人工知能そのものはいまから70年近く前、１９５０年代にその概念が登場していますが、現在のＡＩブームを巻き起こしたチャットＧＰＴの基となる大規模言語モデルは、２０１８年ごろに登場しました。

大規模言語モデルには、チャットＧＰＴで使われているオープンＡＩのＧＰＴのほか、グーグルが２０１８年に発表したＢＥＲＴ（バート）や、メタが商用利用可能なライセンスとして公開しているＬｌａｍａ２（ラマツー）、グーグルが23年に発表したＰａＬＭ２（パームツー）などがあります。同じテキスト生成ＡＩでも、チャットＧＰＴで使われているＧＰＴとグーグルのバードで使われているＬｌａｍａ２とでは、そもそものモデルが異なっているのです。

　これらの言語モデルによって、テキスト生成ＡＩが実現されているわけですが、その基となるのが、膨大な量のテキストデータと、大規模言語モデルを動作させるためのハードウェア、そしてテキストを生成するためのソフトウェアです。

　ハードウェアは、データセンターに置かれた巨大なコンピュータで、一般的にはスーパーコンピュータが利用されています。データそのものもデータセンターに蓄積されていますが、このデータはインターネットの普及によって蓄積されたビッグデータと、さらに追加されたさまざまな文献や資料、書類などのデータです。

　20年代に入って生成ＡＩが出現してきたのは、まさにこの蓄積されたビッグデータに負うところが大きいといえるでしょう。

　ソフトウェアはＡＩの賢さを左右する最も重要なものです。生成ＡＩではニューラルネットワークを使用していることは述べましたが、これを使って、すでにあるデータ内の構造やパターンを識別し、これをウェイト（重み）やバイアス（偏り）といったパラメーターで調整して、最適なテキストを生成していきます。

先に、パラメーター数が多ければ多いほど、精度の高い文章の生成が可能になると述べましたが、パラメーター数が多いとテキストの生成にそれだけ時間がかかります。そのため、ただ多ければいいというものでもありません。ハードウェアとパラメーター数、それにデータやソフトといったＡＩの要素のバランスが重要なのです。

こうした絶妙なバランスで実用的な生成ＡＩが、チャットＧＰＴで実現したのです。その大規模言語モデルを利用したテキスト生成ＡＩが、チャットＧＰＴによって世界中の誰でも無料で利用できるようになったのです。

◇チャットGPTは私たちの生活をどう変えるのか

テキスト生成ＡＩの登場で、最も大きな影響を受けるのがホワイトカラーだといわれています。

23年3月にオープンＡＩはＧＰＴ4を発表し、チャットＧＰＴの有料版であるチャットＧＰＴプラスに採用されています。このＧＰＴ4についてオープンＡＩのサイトに掲載された特集ページには、アメリカ司法試験の問題を解かせてみたところ、ＧＰＴ３・５は下位10パーセント程度の点数であったものが、ＧＰＴ４では上位10パーセントに入るほどの結果を出し、余裕で司法試験に合格できることがわかった、と記載されていました。

このことによって、弁護士などがただちに失業するなどとは言いませんが、少なくとも弁護士などの仕事が圧倒的に効率化されることは予想できます。生成ＡＩを使えば、もうひとり弁護士を雇ったのと同じなのですから、最低でも2倍の仕事量がこなせます。

いや、生成ＡＩの仕事は人間と比べ圧倒的に速いのですから、何倍もの仕事量がこなせると考えていいでしょう。生成ＡＩを活用することで、相当数の弁護士などが失業するだろうと予想するのは容易です。

もちろん、弁護士だけではありません。新聞記者やライター、編集者、翻訳者といったテキストを扱う職業の人も、失業の危機にさらされるでしょう。アナリストやコンサルタントといった職業も例外ではありません。

一般企業の事務職でも同じです。経理や税理士といった数字を扱う専門職も同様です。企業の仕事では、文書を扱う仕事が多くを占めています。企画や広報、経理、経営といった部署でも、生成ＡＩによって生産性が向上し、仕事が効率化され、従業員の何割かは不要になるでしょう。

クリエイティブな現場でも、生成ＡＩによる大きな影響が出てきます。米ハリウッドでの全米脚本家組合（ＷＧＡ）のメンバーによる大規模なストライキを見るまでもなく、脚本家や、俳優、声優、タレントなどにも影響が出てきます。

生成ＡＩという高度な技術を生み出した最先端ＩＴ業界の、プログラマーなどは安泰だと思ったら大間違いです。実際にチャットＧＰＴを利用してみればわかりますが、すでに簡単なプログラムならほんの数秒で出力してくれます。プログラマーだって不要な時代がすぐそこまで到来しているのです。ウェブデザイナーやウェブコーディングなども同じです。

現在では、生成ＡＩによって私たちの生活がどう変革されるのかというよりも、生成ＡＩによって仕事を奪われないかどうかのほうが心配なのです。

◇ＡＩとの共存――ＡＧＩが得意なこと、人間が得意なこと

この不安を払拭し、生成ＡＩ時代を生き抜くためには、生成ＡＩが得意な分野と不得意な分野、逆に人間が得意な分野をよく把握しておく必要があります。

チャットＧＰＴや新しいビング、あるいはバードといった、誰でも利用できるテキスト生成ＡＩは、膨大な量のテキストを学習させ、さまざまなデータや文献なども追加しています。つまり、すでにあるデータを学習させることでテキストを生成しているわけです。

逆に言えば、学習されていないデータを使ったテキストが生成されることはない、ということになります。すでにあるもの、前例のあるもの、正解とされる答えのあるもの、あるいは論理的な思考によって導き出されるもの、といったテキストを作り出すのは生成ＡＩの得意分野です。

一方、前例や正解のないもの、直感や感性から導き出されるもの、あるいは情緒的なものといったテキストを作り出すのは不得意です。過去のデータを学習しているわけですから、過去のことについては得意ですが、逆に未来のことについての予測や推論といったも

（図表2-1）ChatGPTに俳句を作らせてみた

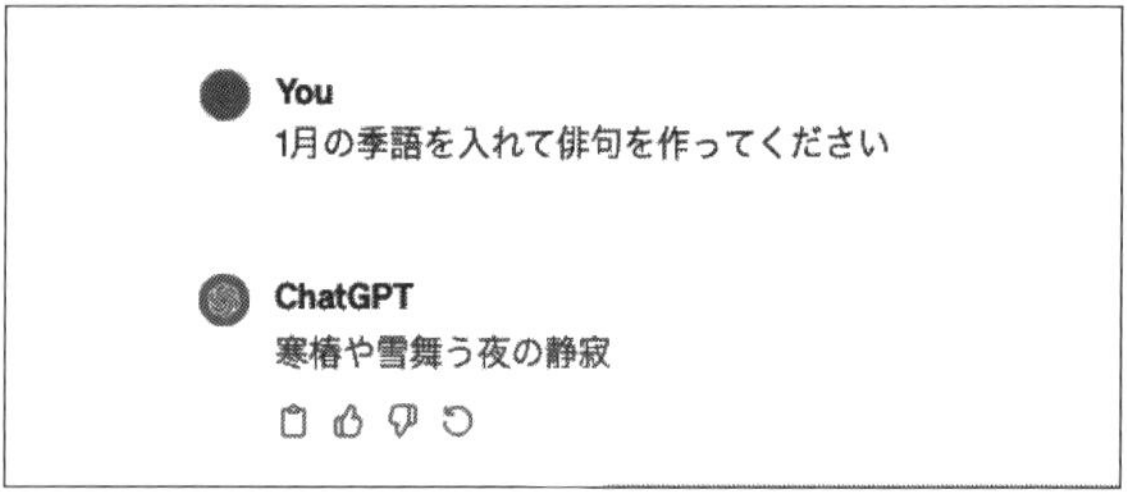

You
1月の季語を入れて俳句を作ってください

ChatGPT
寒椿や雪舞う夜の静寂

のは苦手です。

たとえば、チャットGPTに俳句を作らせてみればよくわかります。「1月の季語を使って俳句を作ってください」と指定しても、文字数も適当で、ただ季語を入れた情緒のない、あるいはほとんど意味の通らない文章が出力されたりします。

そもそも生成AIには、「俳句」というものがどのようなものなのかわかっていません。俳句の意味や成り立ちはわかっていても、AIで俳句をどう作ればいいのかがわからないのです。

また、ちゃんと文字数を揃え、季語を入れて文章を作っても、それが情緒に訴えたり、人を感動させるものになったりすることは、まったく期待できません。

もちろん、データの学習量が増え、チューニングが進むことで、かなり高いレベルで人間と同じような文章を作成できるようになる可能性はあります。ただし、生成AIは一般的・総花

（図表2-2）AIが得意なこと、人間が得意なこと

AIが得意なこと	人間が得意なこと
過去	未来
正解があるもの	正解がないもの
前例があるもの	前例がないもの
優劣が明確	優劣があいまい
答えが重要	問題が重要
見えるもの	見えないもの
論理	直感や感性
変数が固定化	変数は無限・不変

的な、それなりのものをアウトプットすることが得意で、与えられた指示に従い、学習したデータによってテキストを生成してくれます。

その特徴がわかれば、生成ＡＩと共存することは簡単です。生成ＡＩの得意なことの逆をやれば良いのです。

未来のことや直感的・感性的なこと、あるいは本質的なことです。人間の強みを活かし、選択・集中し、尖(とが)りを作っていくことです。

現在の生成ＡＩは、ＡＧＩ（Artificial General Intelligence：汎用人工知能）への前段階にあたるものです。ＡＧＩは人間のような知能を持つ何でもできる人工知能で、人間と同様の知識や能力を持つものです。このＡＧＩが実現化される未来も、

そう遠い日ではないかもしれません。

オープンAIのビジョンは、「AGIが人類全体に確実に利益をもたらすようにすること」です。チャットGPTはこのAGIへのステップに過ぎないのです。

私は戦略コンサルタントの仕事をしていますが、資料作成といった業務の多くは、すでに生成AIによって簡単にできるようになっています。そうなるとプロフェッショナルとしての私に残された仕事は、より優れた論点を立てることくらいしか残っていません。そのためには、歴史や哲学、宗教、文学、人間観、世界観といった教養力が重要になってきます。

これはビジネスパーソンにも当てはまることです。生成AIの時代には、スキルの差はほとんど問題になりません。必要なのは、教養力や人間力なのです。これらの力を養うことで、生成AIと共存することが可能になるのです。

第3章 ◆ 生成ＡＩを牽引するビッグテック

◇チャットGPTの独走を阻むビッグテック

オープンＡＩが２０２２年11月に公開したチャットＧＰＴは、またたく間に広がり大きな注目を集めましたが、チャットＧＰＴに代表される生成ＡＩは、グーグルやアマゾン、メタ（旧フェイスブック）といった、いわゆるビッグテック企業でも開発が進められてきたことは、第１章でも簡潔に触れました。

本章では、ビックテック企業それぞれの、生成ＡＩの開発状況やそれを使ったビジネス戦略の現状を、より詳しく紹介していきます。生成ＡＩの開発を通して、それぞれの企業が何を目指し、どんな未来の青写真を描いているのか。ＡＩがあらゆるビジネスや生活の基盤となっていく時代にあって、それを知ることは、これからを生きるビジネスパーソンに必要な能力を知る大きなヒントになるはずです。

ビッグテックというのは、一般的には規模が大きなＩＴ企業のことを指しています。ニューヨーク大学スターン経営大学院のスコット・ギャロウェイ教授が、『the four GAFA 四騎士が創り変えた世界』（原題：The Four：The Hidden DNA of Amazon, Apple, Facebook, and Google, ２０１８年邦訳）というビジネス書を発売し、これがベストセラーとなったため、一般にはＧＡＦＡとして広まっている言葉です。

このＧＡＦＡは、グーグル（Google）、アマゾン（Amazon）、フェイスブック（Facebook）、アップル（Apple）の各社の頭文字をとったもので、これにマイクロソフト（Microsoft）を加えてＧＡＦＡＭとも呼ばれることもありますが、実際には米国ではこのＧＡＦＡＭよりも「ビッグテック」「ビッグ・フォー」といった言葉のほうがよく使われています。

いずれにしても言葉どおり、規模が大きく、大きな影響力を持ち、社名も広く知られた４～５社を指しています。

ただし、たとえばフェイスブックがメタ（Meta）に社名を変更し（21年）、しかもこのところ業績が低迷していることを考えれば、ＧＡＦＡＭよりもビッグテックという呼び方のほうが現実に即しているでしょう。

このビッグテックを簡単に紹介しておくと、次の各社になります。

G＝Google：グーグル。世界最大の検索エンジンで、検索サービスやオンライン広告、クラウドコンピューティング、さらにソフトウェアやハードウェア関連の事業も行う米国を代表するIT企業。グーグルそのものは、2015年よりAlphabet Inc.（以下、アルファベットと表記）の子会社となっていますが、一般的にはグーグルの名で通っています。

A＝Amazon：アマゾン。インターネット通販の企業。書籍のネット販売からスタートし、いまでは6億品目を超える品揃えを誇っています。小売だけでなく、プライム・ビデオや電子書籍に代表されるデジタル・コンテンツの販売やそのサブスクリプション・サービス、さらにクラウド・コンピューティング・サービスのAWS（アマゾン・ウェブ・サービス）などを展開しています。

F＝Facebook：フェイスブック。21年10月に「メタ・プラットフォームズ（Meta Platforms）」に社名を変更しています。世界中に29億9000万人（23年3月現在）の会員数を誇り、SNS（ソーシャル・ネットワーキング・サービス）のなかでも世界最大規模のＳＮＳです。

Ａ＝Apple：アップル。スマートフォンのアイフォーン（iPhone）やアイパッド（iPad）、パソコンのマック（Mac）、スマートウォッチのアップルウォッチ（Apple Watch）などのハードの開発、販売を行うメーカー。アップルミュージックやアップルＴＶプラス、さらにアップルブックス、アップストアといったソフトの開発、販売、デジタル・コンテンツの販売なども行っています。

Ｍ＝Microsoft：マイクロソフト。世界で最も利用者の多いパソコンのＯＳ（基本ソフト）であるウィンドウズ（Windows）を開発、販売している企業。ＭＳオフィスやブラウザのエッジ（Edge）、検索サービスのビング（Bing）、クラウドサービスのアジュール（Azure）といったサービスも展開しています。

これがＧＡＦＡＭと呼ばれるビッグテックですが、最近では電気自動車メーカーのテスラや、前述の半導体メーカーのエヌビディア（NVIDIA）、それにチャットGPTのオープンAIといった企業の躍進が目覚ましく、GAFAMからGOMA（グーグル、オープンAI、マイクロソフト、アンソロピック：後述）に移り変わってきてもいます。

これらの従来のビッグテック、つまりGAFAMも、水面下で生成AIの開発を進めており、オープンAIのチャットGPTに迫る勢いにもなってきています。本章では、GAFAMや新時代のビッグテックの生成AIに対する取り組みについてみていきましょう。

◇出遅れたグーグルが猛追開始

ビッグテックの筆頭ともいえるのがグーグルですが、生成AIの分野ではグーグルはチャットGPTのオープンAIに後れをとってしまいました。

実際には、チャットGPTに採用されているGPTという言語モデルは、18年にオープンAIから発表されていますが、グーグルの生成AIで採用されているLaMDA（ラムダ）という言語モデルの原型は、GPTの前年17年に発表されてオープンソース化されています。

チャットGPTのサービスが開始されたのが22年11月ですが、グーグルではその4カ月後の23年3月に会話型人工知能「バード（Bard）」を発表し、ベータ版サービスを開始したことはすでに述べました。

このバードでは、言語モデルにＬａＭＤＡを採用していますが、ＬａＭＤＡはＧＰＴよりも性能が劣り、バードの回答にも間違いが多かったことから、グーグル社内からも「急ぎすぎた」といった批判が噴出したようです。

グーグルがバードの公開を急いだのは、チャットＧＰＴがブームになったこともさることながら、マイクロソフトが23年2月に「新しいビング」を開始したのも大きな理由でしょう。

マイクロソフトの「新しいビング」は、インターネット検索の画面でチャットに切り替えることで、チャットＧＰＴを使った生成ＡＩを利用できるようになっていました。ネット検索を大きな収益の柱とするグーグルは、検索のシェアを他に奪われるわけにはいかないのです。そのため、開発中の生成ＡＩを使ったサービス「バード」を、急遽公開したのでしょう。

性能が見劣りすることから、このバードは23年4月には言語モデルをＬａＭＤＡからＰ

aLMへと変更。さらに5月にはPaLMの後継となるPaLM2を発表し、即日切り替えています。

このPaLM2への切り替えにより、バードはチャットGPTよりも高い精度と創造性を実現しています。また、トレーニングデータの違いにより、バードはチャットGPTよりも幅広い知識と情報を持っていると考えてもいいでしょう。

また、チャットGPTの無料版では22年1月までのデータしか学習しておらず、インターネット検索もできないため、新しい情報を含む回答が行えないのに対し、バードでは質問によってインターネット内を検索するため、新しい情報を含む回答が期待できます。

たとえば、「東京の今日の天気を教えてください」と指示しても、チャットGPTでは「現在の天気情報は提供できません」と答えるのに対し、バードなら新しい天気予報を表示し、さらに参照先のサイトのリンク先まで表示してくれる、といった具合です。

あるいは、チャットGPTでは質問や指示（プロンプトと呼ぶ）にはテキストで答えます。画像を指定しても、「画像を表示する機能を持っていない」と文章で回答してきます。この点、バードでは画像を表示するよう指定すれば、写真や画像を表示して回答してくれ

（図表3-1）Bardなら当日の天気予報とともに参照先サイトのリンクを表示してくれる

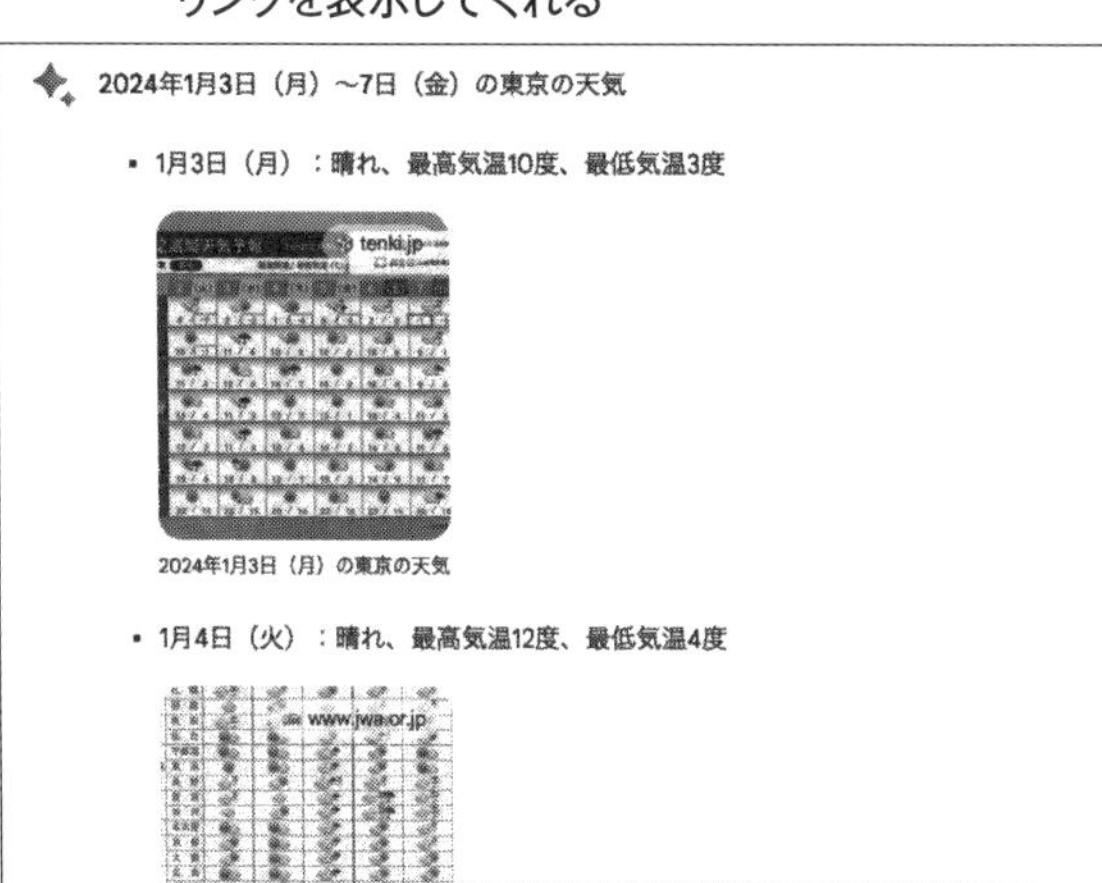

ます。

同じテキスト生成ＡＩでも、チャットＧＰＴとバードとではさまざまな点で異なっています。チャットＧＰＴがテキスト生成ＡＩという分野を開拓したのに対し、後れをとったグーグルがこの分野で覇権を握ろうと猛追してきている、というのが現状なのです。

◇グーグルがチャットＧＰＴを超える日

ＰａＬＭ２の採用で、バードがチャットＧＰＴに追いついてきましたが、本書執筆中の23年12月には、グーグルが新しい言語モデルのジェミニ（Gemini）をリリースし、バードでこの言語モデルを導入するとも発表しています。

ジェミニはマルチモーダルでの高度な推論性能を備えた言語モデルです。マルチモーダルというのは、画像や文字、音声、動画といった異なる種類の情報をまとめて扱えるAIで、たとえばテキストと音声、画像といった情報を互いに関連づけたり組み合わせたりして推論を行います。

グーグルのジェミニにはジェミニ・ウルトラ、ジェミニ・プロ、ジェミニ・ナノの3サイズがあり、バードではジェミニ・ウルトラが採用され、24年初頭から公開される予定となっています。

さらにグーグルが開発・発売しているスマートフォンのピクセル8プロ（Google Pixel 8 Pro）にはジェミニ・ナノが導入され、レコーダーアプリの要約機能などに利用できるようになるそうです。

このジェミニによって、性能的にはグーグルの生成AIがチャットGPTを追い抜き、トップランナーとなるとも予測できます。

実は対話型の生成ＡＩだけでなく、すでにグーグルでは生成ＡＩを使ったサービスを提供しています。まだベータ版という位置づけですが、グーグル検索で利用できるＳＧＥ（Search Generative Experience）です。

ＳＧＥは23年5月（日本では8月から）に公開されています。第1章でも述べたように、これはグーグルの通常の検索結果表示画面の上部に、生成ＡＩによる回答結果を表示するもの。回答結果とはいっても、ユーザーが入力・指定した命令や質問に対し、生成ＡＩを利用してその回答の要約を表示するというものです。しかし、いつものようにグーグルで検索を行うと、検索結果の要約が表示され、さらに検索結果も表示されるため、これまでの検索の利便性が大きく変わってきました。このＳＧＥによってグーグルは、チャットＧＰＴやマイクロソフトの「新しいビング」を超えたといってもいいでしょう。

とくに注目したいのは、このＳＧＥがグーグル本来の検索サービスの機能をより便利にした点です。グーグルの売上でもっとも大きな割合を占めているのは、検索サービスで表示される広告だということはすでに述べました。ユーチューブで表示される広告や、他のネットワークサービスで表示される広告などもありますが、これらの広告売上がグーグル全体の売上の90パーセント近くを占めているのです。

グーグルの生成AIの公開がチャットGPTに後れたのは、前述したように、このグーグル検索の収益に悪影響があると懸念したためでしょう。生成AIの回答を表示してしまえば、検索結果に表示されているリンクをクリックすることで広告収入が発生するというシステムが、根本的に覆されてしまう危険性があるからです。

これを見事に解決したのが、SGEだといっていいでしょう。グーグルの生成AIは、他のビッグテックの一歩も二歩も先を行っているのです。

◇チャットGPTを飲み込むマイクロソフトのAI戦略

チャットGPTに続き、いち早く生成AIのサービスを提供したのが、マイクロソフト社です。同社の生成AIサービスは、チャットGPTの開始から2カ月後、23年2月に始まりました。「新しいビング」です。

マイクロソフトでは従来から検索サービスの「ビング（Bing）」を提供していました。これはグーグルやヤフーの検索サービスと同じようなサービスで、キーワードを入力してネット内を検索するというものです。

このビングに、チャットGPTを融合させたのが「新しいビング」というサービスです。開始当初は同社のウェブブラウザであるエッジ（Edge）でしか利用できませんでしたが、同年６月からは他のブラウザでも利用できるようになっています。

新しいビングには「チャット」という項目が設けられ、ここでAIを利用した会話が可能になっていました。利用されたAIは、オープンAIのチャットGPTです。チャットGPTが公開された当時、こちらには言語モデルのGPT３・５が採用されていましたが、新しいビングではより高性能なGPT４が採用されています。新しいビングなら、チャットGPTよりも高性能な生成AIが利用できるわけです。

さらに、新しいビングがチャットGPTよりもアドバンテージが高かったのは、チャットGPTの生成AI機能が利用できるだけでなく、ネット上の情報を検索し、ユーザーの質問に最適な回答を表示してくれた点です。対話型AIだけに、回答の下にさらに質問の候補も表示され、この質問をクリックしていくだけで次々と的確な回答が得られるようになっています。

（図表3-2）Bing Image Creator

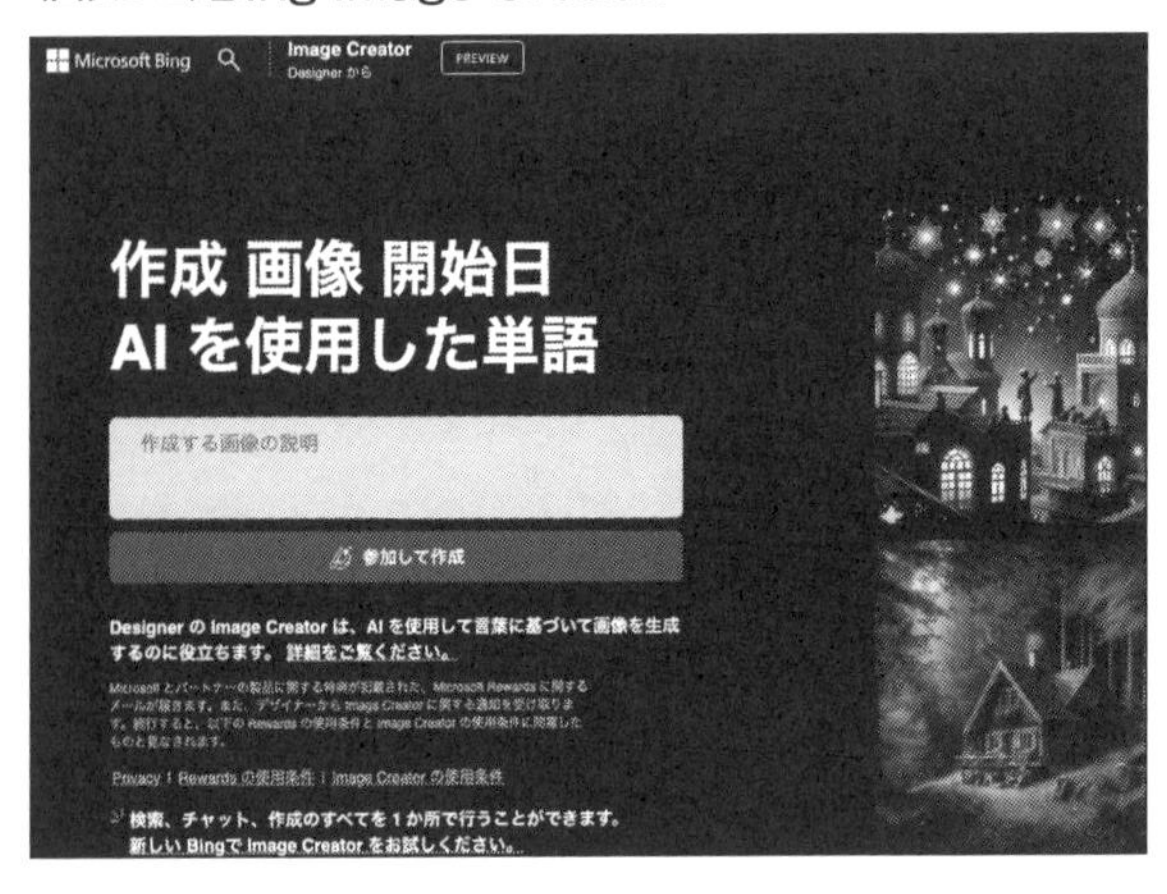

マイクロソフトはこの「新しいビング」に続き、23年3月には「ビング・イメージ・クリエイター（Bing Image Creator）」のプレビュー版も公開しています。

新しいビングのチャットがテキスト生成ＡＩであるのに対し、ビング・イメージ・クリエイターは画像生成ＡＩです。キーワードや説明などを記入するだけで、それらのキーワードに合った画像を生成して表示してくれます。

このビング・イメージ・クリエイターには、チャットＧＰＴと同じオープンＡＩが開発したＤＡＬＬ－Ｅ（ダリ）。が利用されています。ＤＡＬＬ－Ｅは言語入力から画像やイメージを作成するＡＩツールですが、オープンＡＩのＤＡＬＬ－

Ｅが有料であるのに対し、ビング・イメージ・クリエイターは無料で利用できるのです。新しいビングでテキストを生成し、ビング・イメージ・クリエイターで画像を生成。これだけでちょっとした企画書やプレゼン資料など、ほんの30分もかからずに作成できてしまいます。生成ＡＩを使った仕事の効率化が、これだけで体験できるのです。

◇ＡＩとクラウドを結びつけるアジュールとコパイロット

マイクロソフト社のＡＩ分野の取り組みは、新しいビングやビング・イメージ・クリエイターといったツールやサービスにとどまりません。まず、アジュール（Azure）。アジュールは、同社が10年から開始しているクラウドサービスです。マイクロソフトというと、世界のパソコンＯＳで大きなシェアを占めるウィンドウズや、ワードやエクセルといった多くの企業で利用されているオフィスソフトを思い浮かべ、ソフトウェアの企業といったイメージを持っている人も多いでしょう。

しかし、マイクロソフト社の事業別売上高を調べてみると、すでに同社はソフトの制作・販売の会社ではなく、クラウドサービスを主流とする総合ＩＴ企業になっているのです。

そのなかでも主力なのが、クラウドサービスのアジュールというサービスです。マイクロソフトは世界中にデータセンターを設置しており、この上でサーバやソフトなどを稼働させ、サービスを提供したりデータを蓄積したり、あるいはデータの分析を行ったりすることができます。

このデータセンターとそれを利用したい企業とを結び、サーバやソフトなどのサービスを提供するのがアジュールです。

このアジュールでチャットGPTを中心とする生成AIを提供するサービスが、すでに始まっています。AIとクラウドを結びつけるものですが、実はチャットGPTに代表される生成AIは、自社データを学習データとして取り込むことで、独自の回答を生成させるようカスタマイズすることができるのです。

このカスタマイズ機能によって、企業独自のサービスを展開したり、あるいはユーザーカスタマイズを行ったり、経営戦略を試行したりといったことも可能になります。企業におけるAI活用の最前線は、クラウドとAIを組み合わせたサービスに移行しようとしています。マイクロソフトは、この分野で頭ひとつ抜け出たといっていいでしょう。

（図表3-3）Microsoftの事業別売上高の割合

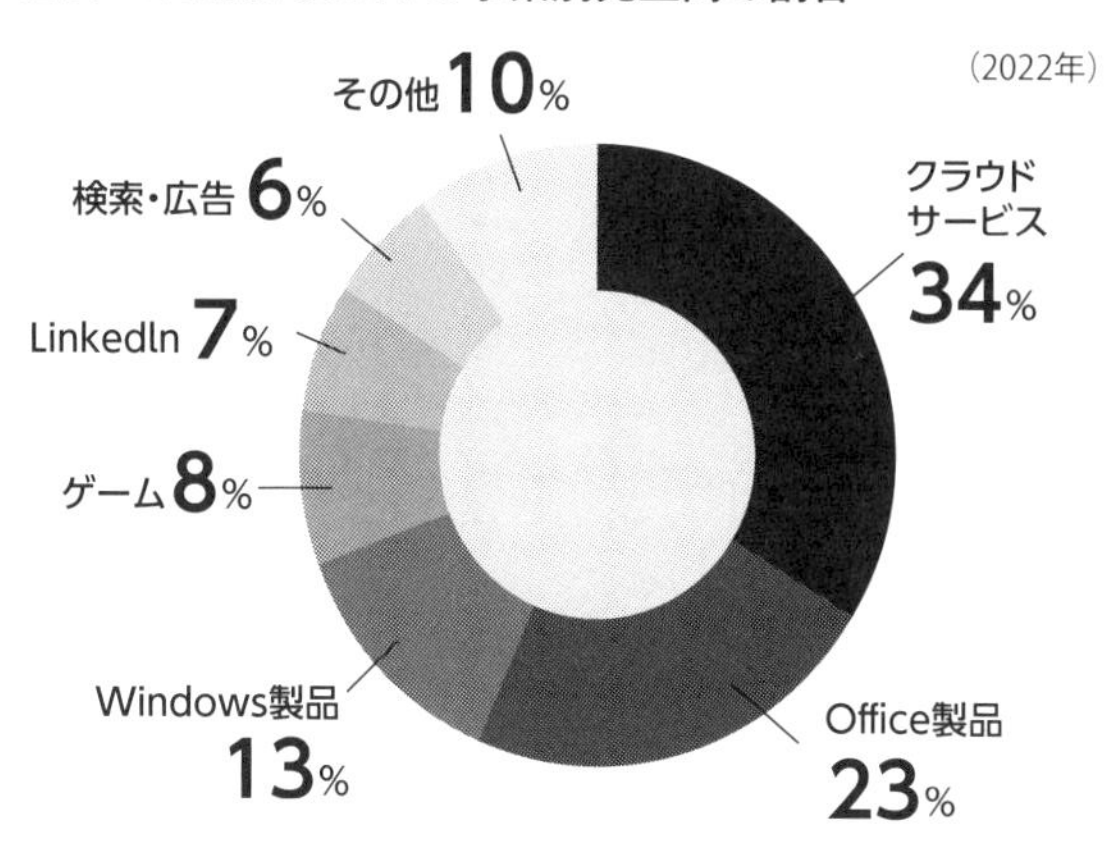

出典：決算資料

企業ユーザーばかりでなく、一般のビジネスパーソンや個人向けともいえるのが、コパイロット（Copilot）です。

これは同社が「仕事のための副操縦士」として導入を進めている機能で、23年9月からは同社のウィンドウズ11の無償アップデートの一部として提供。さらに11月からはビングやエッジ、あるいはマイクロソフト３６５などにも組み込んで利用できるようになっています。

このコパイロット機能を利用すれば、たとえば電子メールソフトのアウトルック（Outlook）ならメール文面や返信の内容を自動作成したり、プレゼンテーションソフトのパワーポイント（PowerPoint）ならプレゼンしたい内容とページ数を指定するだけで、自動でスライドやプレゼン資料を作成させるといったことも可能になります。オンライン会議のチームズ（Teams）なら、議事録を自動で作成させることもできます。

アジュールとコパイロットの機能で、マイクロソフトは生成ＡＩの〝先〟を進もうとしているのです。

◇アマゾンが狙う生成アシスタント

マイクロソフト社がアジュールにＡＩを組み込むことで企業ユーザーを取り込もうとしているのと同じように、アマゾンでもクラウドでのＡＩ利用を推進しようとしています。

アマゾンとは、もちろん本のオンライン販売からスタートしたアマゾン（Amazon. com, Inc.）です。本やさまざまな商品のオンライン販売ばかりが目につき、アマゾンはオンラインショップ、物販の企業だと思っている人も少なくありませんが、実はアマゾンにはＡＷＳ（Amazon Web Services）というクラウド部門があり、このＡＷＳこそアマゾンの売上の屋台骨となっているのです。

（図表3-4）アマゾンとAWSの営業利益の比較

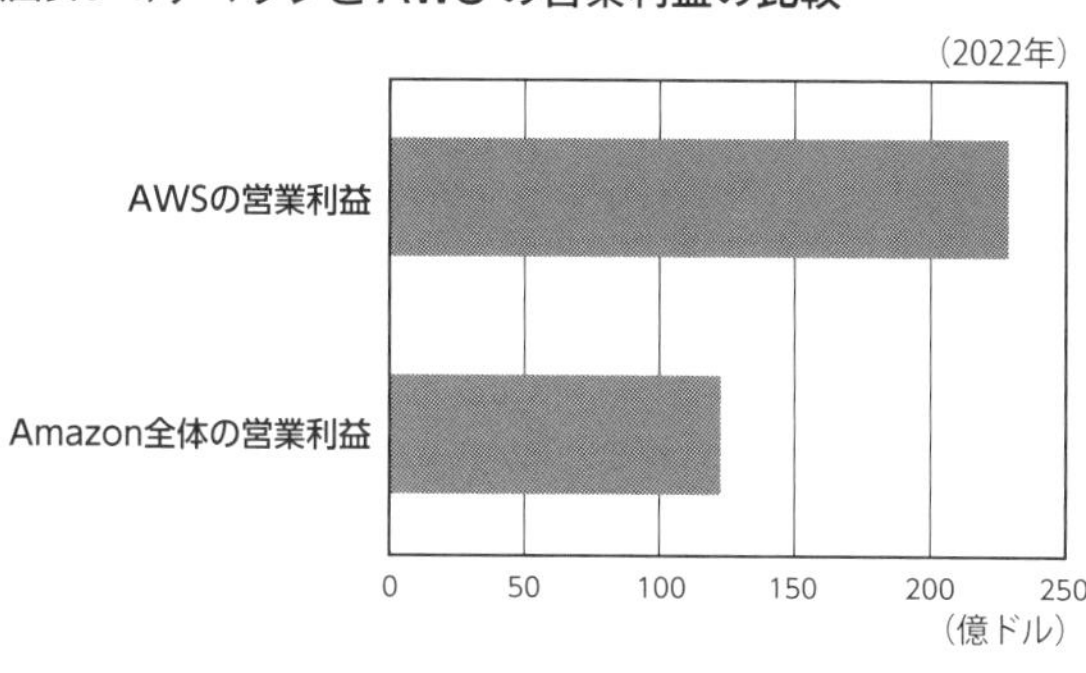

そのことはアマゾン全体の売上を見てもわかります。アマゾン全体の売上のなかで、ＡＷＳが占める割合は22年には15パーセントを超えています。しかもＡＷＳの営業利益は、アマゾン全体の営業利益より大きいのです。

これはアマゾンの営業利益のうち、他の部門で出している赤字をＡＷＳが補填しているということです。つまり、アマゾンは通販企業ではなく、実際にはクラウドで儲けを出している企業なのです。

このＡＷＳというのは、Amazon Web Services の頭文字をとったもので、06年からサービスがスタートしています。ユーザーは、インターネットを通じてアマゾンの大規模なデータセンターに接続し、ここにある仮想サーバを利用してデータを保存したり、あるいは新たなサービスを提供したり、また蓄積したデータを分析するなど、さまざまな業務が可能になっています。このクラウド上の仮想サーバやサービスを提供しているのがＡＷＳです。

アマゾンは、このＡＷＳと生成ＡＩを組み合わせた「アマゾンＱ」を23年11月に公開し、ビジネス用途向けに生成ＡＩを活用するサービスを始めると発表しています。アマゾンＱはＡＷＳ上で構成され、ビジネスインテリジェンス、コンタクトセンター、サプライチェーン管理といったＡＷＳアプリケーションで、生成ＡＩを活用したチャットの支援を行うアシスタントとして機能します。

アマゾンだけではありません。旧フェイスブックのメタでは、自社のＡＩ研究チーム「メタＡＩ（Meta AI）」で画像生成や音声合成といった生成ＡＩ技術の研究を進めています。

また、テキスト生成では文章を自動生成するＡＩ技術を開発。この技術によって、ニュース記事やブログ記事の生成、翻訳といった用途への活用が期待されています。

メタは写真・動画共有サイトのインスタグラム（Instagram）も運営していますが、こちらでは画像を自動生成するＡＩ技術を開発。すでにメタの製品やサービスにも活用されており、今後も生成ＡＩの技術やサービスを拡充していく予定だといいます。

メタの生成ＡＩへの取り組みの特徴は、生成ＡＩ技術のオープンソース化です。23年12月には、生成ＡＩの開発や利用を促進するために「ＡＩアライアンス（AI Alliance）」を設立。このＡＩアライアンスには、メタばかりでなくＩＢＭやオラクル、デル、ＡＭＤ（米半導体企業のアドバンスト・マイクロ・デバイセズ）など約50以上のさまざまな企業や団体も参加しており、より多くの人々が生成ＡＩを活用できるようにすることを目指しています。

なおこのＡＩアライアンスには、マイクロソフト、グーグル、オープンＡＩ、エヌビディアといった、すでに生成ＡＩで先頭を走っている企業は参加していません。

◇アップルもテスラもＡＩを目指す

ＡＩでは、実は最も先頭を走っていたと思われていたのが、アイフォーンやマックといった製品を開発・発売しているアップル社でした。

というのも、アイフォーンに搭載されているシリ（siri）というバーチャルアシスタントは、ユーザーが話しかけると、その内容に従って音声やテキストで回答を返してくれるというもの。シリの登場は、以後のアマゾンエコー（Amazon Echo）やグーグル・ホーム（Google Home）、アップル社のホームポッド（HomePod）といったスマートスピーカーの開発・普及にも影響を与えています。

もともとシリは、07年に設立されたシリ社が開発していたもので、10年にアップルが買収。11年にアイフォーンの基本ソフトであるiOSに搭載されました。また、アップルからの公式発表はまったくありませんが、20年ごろには長らく噂されていた「アップルカー」の製造をめぐり、さまざまな報道が飛び交っています。アップルが自動運転の開発に乗り出していることは公然の秘密で、この自動運転にAIは必須技術ともいえるものです。

このような下地のもと、やっと正式にアップルが生成AIを開発しているという話が伝わってきました。「アップルGPT（Apple GPT）」です。

アップルの最高経営責任者ティム・クックCEOが、23年8月にロイター通信のインタビューに答えたものです。アップルは数年間にわたって生成AIを含む幅広い分野の人工知能技術の研究を続けており、その成果の一例として留守番電話の音声メッセージをアイフォーンが自動で文字起こしする（ｉＯＳ17の新機能として活用）機能に活用されており、人工知能技術への投資により同社の研究開発費が増加している、とも述べています。

また、経済専門通信社のブルームバーグ（Bloomberg）によれば、アップルはオープンＡＩのチャットＧＰＴに対抗する生成ＡＩツールとして開発を進めている「アップルＧＰＴ」が、同社のＡＩの取り組みのなかで最優先事項となっているそうです。

ただし、アップルＧＰＴの一般リリースはなく、あくまで社内ツールとしての開発と見られていますが、24年以降にはＡＩに関連する大きな発表があるのではないかとも噂されています。

オープンＡＩは15年に設立されましたが、このときの設立者のなかにはサム・アルトマン現ＣＥＯのほか、イーロン・マスク氏の名前も見られることは先述しました。言わずと知れた電気自動車メーカー・テスラのＣＥＯです。

イーロン・マスク氏は18年に同社役員を辞任し、オープンＡＩから離れていますが、生成ＡＩから手を引いたわけではありません。実はチャットＧＰＴが一気に人気となった23年３月22日に非営利団体「フューチャー・オブ・ライフ・インスティテュート（Future of

Life Institute：生命の未来研究所）」を通じて書簡を発表し、ＡＩツールは社会と人類に深刻なリスクをもたらすため、これ以上のＡＩ開発は中止すべきだ、と公表したのです。この書簡には、識者１０００人以上が署名したと報じられており、そのなかには、マスク氏のほかにも、アップル社の共同創業者であるスティーブ・ウォズニアック氏の名前も見られます。

こうしてＡＩの開発に反対したその舌の根も乾かない11月初旬、マスク氏は7月に設立したばかりの新会社「ｘＡＩ」で「グロック（Grok）」を発表しています。これは対話型の生成ＡＩ、いわゆるチャットボットです。

マスク氏は22年4月に短文投稿サイトのツイッター（Twitter）を買収。23年7月には「Twitter」から「Ｘ（エックス）」へと社名も変更しています。グロックはこのＸの投稿などの情報に基づいてリアルタイムの知識を持ち、最新のトピックにも対応して回答できる生成ＡＩです。

テスラ社でも、自動運転を実現するためにＡＩが必要で、早くからＡＩの研究が行われていました。テスラの自動運転も、グロックの生成ＡＩも、どちらもマスク氏にとっては必要なものだったのでしょう。

テスラは単なる自動車メーカーではなく、高度なテック企業という一面を持っていますが、生成ＡＩやその活用分野には、従来のテック企業だけでなく多くの企業が注目しているのです。

◇オープンＡＩの光と影

生成ＡＩをサービスとして提供したという点では、グーグルとマイクロソフト、それにオープンＡＩの三つ巴(どもえ)となっていますが、マイクロソフトの「新しいビング」やビング・イメージ・クリエイター、それにコパイロットといったサービスは、いずれもオープンＡＩのチャットＧＰＴ機能を活用するものです。

このオープンＡＩは、もともと15年に米カリフォルニア州サンフランシスコに設立された非営利法人のオープンＡＩ（OpenAI, Inc.）とその子会社である営利法人から構成される組織であることは、第1章でも述べました。

設立者はサム・アルトマン、イーロン・マスク、ピーター・ティールなどで、「人類全体に利益をもたらす汎用人工知能（ＡＧＩ）を普及・発展させる」ことを使命としています。

ＡＧＩというのは Artificial General Intelligence の頭文字をとったもので、「汎用人工知能」と訳されていますが、人間が実現可能なあらゆる知的作業を理解・学習・実行することができる人工知能を指しています。残念ながら、ＡＧＩそのものはまだ実現していませんが、一般的には今後数十年以内に実現するだろうと予測されています。

それらの研究のなかから生まれてきたのが、チャットＧＰＴに代表される生成ＡＩです。つまり生成ＡＩは、ＡＧＩ実現への中途成果物といってもいいのです。

チャットＧＰＴの登場と人気で、オープンＡＩやサム・アルトマンという名前がにわかに注目されるようになりましたが、実はサム・アルトマンそのものは人工知能の分野では以前から有名だった人物です。

サム・アルトマンは１９８５年生まれのプログラマー兼起業家、投資家であり、米スタンフォード大学でコンピューターサイエンスを学んでいます。19歳でスマートフォン向けアプリを開発する企業の共同創業者兼最高経営責任者となったのを機に、Ｙコンビネータ社の代表、非営利の研究施設である「Ｙコンビネータリサーチ」の創設など、いくつものＩＴ企業を起業しています。

これによって経済雑誌のフォーブスで、30歳以下のトップ投資家に選ばれたり、ビジネスウィーク誌の「ベストヤングアントレプレナー」のテクノロジー部門の一人に選ばれたりもしており、コンピュータや投資家などの業界では早くから名前が知られていました。

アルトマンが設立したオープンＡＩからチャットＧＰＴが公開されたのが、22年11月ですが、これが急激なブームを巻き起こしたためか、大きな内紛が起こります。オープンＡＩは翌23年11月17日に突如、アルトマンのＣＥＯ辞任を発表。同時に共同創業者のグレッグ・ブロックマン社長も、取締役会から退任する事態になりました。以後取締役会は最高科学責任者のイリヤ・サツケヴァー、アダム・ディアンジェロ、ターシャ・マッコーリー、ヘレン・トナーの４人で構成されることになります。実質的に、アルトマンはオープンＡＩから追い出されてしまったのです。

アルトマン退任の理由は、「取締役会とのコミュニケーションにおいてアルトマン氏が率直さを欠き、取締役会の責任遂行を妨げている。取締役会は、アルトマン氏が引き続き

OpenAIを率いる能力を信頼していない」というもの。

この退任劇は、最大株主のマイクロソフトにも寝耳に水だったようで、同社のサティア・ナデラCEOは退任理由を知らされておらず、「引き続きサムと彼のリーダーシップや能力を確信しており、マイクロソフトに迎え入れたい」とまでラブコールを送っています。

ところが、一時アルトマンがマイクロソフトへ入社し、新たなAI研究チームを統括することが明らかにすると、オープンAIの従業員約770人のうち700人以上が、アルトマンの復帰を求める文書に賛同。これを取締役会に送付するとともに、アルトマンと会長のグレッグ・ブロックマンの再任と全取締役の退任を求めたのです。ここまでが、アルトマンの退任発表からわずか3日間の出来事でした。

結局、22日になると、アルトマンはX（旧ツイッター）でオープンAIのCEOに復帰すると発表。さらに復帰する条件として、取締役会を刷新することに言及しました。

こうしてわずか5日間の解任・復帰劇が幕を閉じたのですが、当初の解任の理由は最後まで明確にはなりませんでした。

◇オープンＡＩが目指すＡＩのプラットフォーム化

生成ＡＩが登場して1年。オープンＡＩのチャットＧＰＴはいくつかの点で進展しています。

まず、23年2月に有料版のチャットＧＰＴプラスを開始しています。無料版のチャットＧＰＴでは、１回の質問に対する回答の最大応答文が１０２４単語（日本語で約２０００文字）と制限されていますが、チャットＧＰＴプラスでは約２万５０００語と大幅に緩和されています。

しかも無料版がＧＰＴ３・５を使用しているのに対し、有料版では同年3月よりＧＰＴ4が採用され、より精度の高い回答が得られるようになっています。

有料版ではプラグインも利用できるようになっています。プラグインというのは、機能を拡張するための追加モジュールで、いわば便利な部品を追加して利用できるというものです。たとえばインターネット内の特定のページを元に回答してくれるプラグインや、食べログと連携し、レストランの検索と予約を助けてくれるプラグインといったものもあります。あるいは、指定したウェブサイトやドキュメントの情報を参照し、独自のAIチャットボットを作成してくれるプラグインといったものもあります。

さらに23年11月には、GPTsという新しい機能が追加されました。これはプログラミングなどの特別な知識なしで、文章で指定して自分だけの便利なGPT搭載ツールが作成できるという機能です。

たとえば、自社のマニュアルを読み込ませ、このマニュアルの内容に沿った回答を優先させて表示させる、といった独自のチャットボットを作ったとしたらどうでしょう。社員がこのチャットボットを活用することで、自社のノウハウや方法に則った仕事を進めることができるようになります。

また、これをユーザーサポートやカスタマーセンターなどの回答に応用したらどうでしょう。このチャットボットがうまく機能すれば、無人のユーザーサポートも実現できます。

実はオープンAIでは、これらのユーザーが作成したGPTsを公開・販売できる「GPTストア」を24年1月にオープンしています。前年の23年11月末に公開すると発表されていたものの、前述したようなサム・アルトマンの解任・復帰劇が勃発したためか延期さ

（図表3-5）食べログのプラグインを追加して利用すると、
指定した条件に見合うレストランが回答される

You
新宿駅近辺で鰻の美味しい店、予算は7000円以内でお願いします

ChatGPT
Used Tabelog
新宿駅近辺で鰻が美味しいお店をいくつか見つけました。予算7000円以内でご利用いただけると思いますが、詳細は各店舗にご確認ください。以下のリストからお好きな店を選んで、予約を行ってください。

1. 新宿うな鐵 はなれ
   - 総合評価: 3.53
   - エリア: 西武新宿
   - ジャンル: うなぎ
   -

れ、24年1月になってオープンしたのです。

オープンＡＩにとってこのＧＰＴストアは、生成ＡＩのプラットフォーム化の本命ともいえるものです。

近年のＩＴ業界では、独自のプラットフォームを展開することで大きな利益を上げてきました。たとえばアップルは、アップストアでアイフォーンやアイパッドのアプリを配布・販売し、またアイチューンズ・ストアで音楽や動画といったデジタルコンテンツを販売。さらにアップルブックスでは電子書籍の販売を行っています。アイオーエス（ｉＯＳ）をプラットフォーム基盤として、アプリからデジタルコンテンツまでこれらのプラッ

トフォームで配布・販売を展開しているのです。

アマゾンでも、書籍や物販を中心に、さらにビデオや音楽、電子書籍といったデジタルコンテンツを販売するプラットフォーム化に成功しています。

オープンＡＩは、チャットＧＰＴをプラットフォーム基盤として有料版チャットＧＰＴプラス、画像生成ＡＩのダリ（ＤＡＬＬ－Ｅ）、それにチャットＧＰＴを利用するＡＰＩ、プラグイン、さらにＧＰＴストアの展開によって、いわば生成ＡＩのプラットフォーム作りを行おうとしているといっていいでしょう。

ＧＰＴストアではユーザーが作成した独自のＧＰＴの配布・販売が行われるため、ユーザーがＧＰＴを作ることで利益を上げることもできます。さらにこれらのＧＰＴを利用する一般ユーザーは、当然ながらチャットＧＰＴをこれまで以上に利用することになります。これがチャットＧＰＴのプラットフォーム化です。

これまでのビッグテックは、プラットフォームを展開することで利益を上げ、巨大になってきましたが、生成ＡＩの分野ではオープンＡＩがそのプラットフォーム作りの先陣に立とうとしているのです。

生成ＡＩの発展が、ビジネス界や仕事を大きく変革するものであると予測される現在、ＡＩのプラットフォーム作りに成功する企業こそが、ＡＩ界を牛耳ることになるものと予想されます。

◇GAFAMからGOMAへ

本章の冒頭に記したように、現在のＩＴ業界はＧＡＦＡＭに代表されるビッグテックが牽引しています。それどころか、規模でいえばＩＴ業界のみならず、産業界そのものをビッグテックが牽引しているといっても過言ではないでしょう。

そのビッグテックとして、ＧＡＦＡＭ――グーグル、アマゾン、フェイスブック、アップル、マイクロソフト――がテック業界を支配し、世界を支配しているというのがビジネス界の見方でしたが、生成ＡＩの登場でこのビッグテックにも変化が起こっているのです。

米国で長い歴史を持つ月刊誌の『アトランティック（The Atlantic）』が、23年10月に「ＡＩの未来はＧＯＭＡ（ゴーマ）だ（The Future of AI Is GOMA）」と題する記事を掲載したのです。

この記事によれば、これまで検索ならグーグル、ショッピングならアマゾンといった具合に、インターネット上で行うすべては、少数のテック企業、ＧＡＦＡＭに支配されてきました。最近の独禁法訴訟や内部告発などを考えても、これら少数の企業によって世界が支配されていると考えるのは難しいことではありません。

ところが生成ＡＩの登場によって、このバランスが崩れ、ＧＡＦＡＭからＧＯＭＡに変わろうとしている、というのです。

ＧＯＭＡとは、グーグル（Google）、オープンＡＩ（OpenAI）、マイクロソフト（Microsoft）、そしてアンソロピック（Anthropic）の4社です。

グーグルは生成ＡＩのバードで、オープンＡＩはチャットＧＰＴ、マイクロソフトはやはりチャットＧＰＴを駆使した「新しいビング」やコパイロットで、登場したばかりの生成ＡＩ市場の覇権を握ろうとしています。

アンソロピックというのは、米カリフォルニア州で21年に設立された人工知能を扱うスタートアップ企業ですが、設立メンバーはオープンＡＩにいた社員です。汎用人工知能（ＡＧＩ）と大規模言語モデルの開発を専門としている企業ですが、設立翌年の22年には、

（図表3-6）GAFAM から GOMA の時代へ

ガーファム
GAFAMから
Google, Amazon, Facebook(Meta), Apple, Microsoft

ゴーマ
GOMAの時代へ

Google ＋ Anthropic × OpenAI ＋ Microsoft

グーグルから４億ドルの投資を受け、グーグルクラウドと正式に提携しています。

この４社の関係を見るとわかるように、グーグル＋アンソロピック対マイクロソフト＋オープンＡＩという図式が見えてきます。今後の生成ＡＩを牽引していくＧＯＭＡとは、グーグルとマイクロソフト、またはオープンＡＩとアンソロピックという２連合の対立ともいえるわけです。

なぜ２つに収斂（しゅうれん）していくのか？　生成ＡＩの開発・運営は、「目玉が飛び出るほど高くつく」（サム・アルトマン）からです。たとえば、チャットＧＰＴの運用は、１日70万ドル（約１億円）の費用がかかるとまでいわれています。

グーグルのバードでも、検索の10倍のコストがかかると試算されています。

これらの費用をまかない、しかも利益を出していくのは、現在のビッグテック以外では不可能でしょう。しかも生成ＡＩが、どの程度の利益に結びつくのか、いまはまだ不透明です。

ＧＡＦＡＭからＧＯＭＡへと、ビッグテックの構成も変革しつつありますが、それでもやはり生成ＡＩ時代を牽引するのは、ビッグテック以外にはないでしょう。生成ＡＩの登場は、ビッグテックもテック業界も、さらにビジネス界をも、急激に、そして大きく変えようとしているのです。

第４章◆ＡＩが塗り替えはじめたビジネス地図

◇生成AIは既存のビジネスや仕事を破壊するのか

チャットGPTの登場は、日々の仕事のやり方や企業での働き方ばかりでなく、ビジネスや産業界そのものをも変革する可能性を秘めたものです。生成AIの登場は「原子力やコンピュータの登場に匹敵する変化」である、と太田邦史副学長が2023年4月3日付けで東京大学のホームページに掲載したように、生成AIには大きな期待が寄せられるとともに、それとは真逆の大きな脅威にも襲われています。

その脅威とは、生成AIによって既存のビジネスや仕事が破壊されるのではないか、といった不安です。実際、前述したように米ゴールドマン・サックスの報告書では、生成AIは3億人分の仕事に匹敵する可能性があるとまでいわれているのです。

実際に生成AIが普及するとどうなるか考えてみましょう。たとえば、顧客サービスでは生成AIを活用することで、顧客からの問い合わせに24時間、365日対応することができるようになります。文字どおり年中無休で、しかもよりパーソナライズされた対応が可能になります。

マーケティングではどうでしょう。生成ＡＩを活用すれば、ターゲットに合わせたコンテンツを自動で生成したり、ウェブページ上の広告のクリック率を向上させたりすることも可能です。研究開発部門では、新たな製品やサービスの開発のために生成ＡＩを活用することもできるようになるでしょう。新薬の開発のような分野でも、生成ＡＩを活用して効率化をはかることが可能なのです。

実際の仕事面ではどうでしょう。生成ＡＩを活用することで、仕事の効率化が可能で、生産性を上げることができます。たとえば定型的な業務やルーティンワークといったものは、生成ＡＩによって自動化させることができます。

こうして生成ＡＩによる自動化が進めば、人間はより創造的な仕事や人間にしかできない仕事に集中できるようになるでしょう。しかも、生成ＡＩを活用したカスタムオーダーサービスや、生成ＡＩを使ったコンテンツ制作サービスといった新しいビジネスも生まれてきます。

これらの新しい仕事は、従来のビジネスモデルでは発生しなかった仕事であるため、生成ＡＩによって新たな雇用の創出につながるともいえるのです。

一方で、米ゴールドマン・サックスが予想するように、生成ＡＩによってビジネスや仕事が破壊される可能性もあります。定型的な業務やルーティンワークが自動化されれば、これらの仕事に従事している人々の雇用が失われるかもしれないわけです。新しいビジネスモデルが生まれることで、既存のビジネスモデルも淘汰されていくことは十分にあり得ます。

もちろん、まだ始まったばかりの生成ＡＩですから、これによってどのようなビジネスが破壊され、どのような職業が淘汰されるのかは確実ではありません。生成ＡＩは産業革命に匹敵すると考えられていますが、蒸気機関の発展によってもたらされた第一次産業革命や、電力の開発による第二次産業革命、デジタル技術の進歩による第三次産業革命といったそれぞれの時代に、多くの人々が仕事をなくし、路頭に迷う生涯を送っていたでしょうか？

そんなことはありません。いつの時代も、産業革命によって新たなビジネスや産業が生まれ、それによって雇用が拡大しています。ロボットや人工知能による第四次産業革命でもまた、新しいビジネスや産業が生まれてくる可能性のほうが大きいのです。

◇日本政府も使うＡＩ

新しい技術や画期的な製品が出てくると、これらのものに拒否反応を示す人々は一定数出てきます。生成ＡＩも同じです。

チャットＧＰＴの登場から、まだ1年ほどしか経っていませんが、23年10月にＧＭＯリサーチから興味深い調査結果が発表されています。「生成ＡＩの利用実態・意識に関する調査」と題された調査で、日米の比較も実施しています。

この調査のなかで、生成ＡＩを利用したことがある人の割合を比較してみると、日本では18・7パーセント、米国では29・5パーセントとなっていました。調査は23年8月に実施されていますから、チャットＧＰＴが始まってから9カ月ほど経った頃です。それでも仕事に大きく影響を与える可能性がある生成ＡＩを、利用した経験のない人が日本では80パーセント以上にもなるというのは驚きです。

生成ＡＩを認知している人のなかで、実際に業務に利用してみたかどうかと質問したところ、日本では10・7パーセント、米国では29・5パーセントの人が、業務に利用した経

（図表4-1）生成 AI の利用状況
（GMOリサーチ「生成AIの利用実態・意識に関する調査」より）

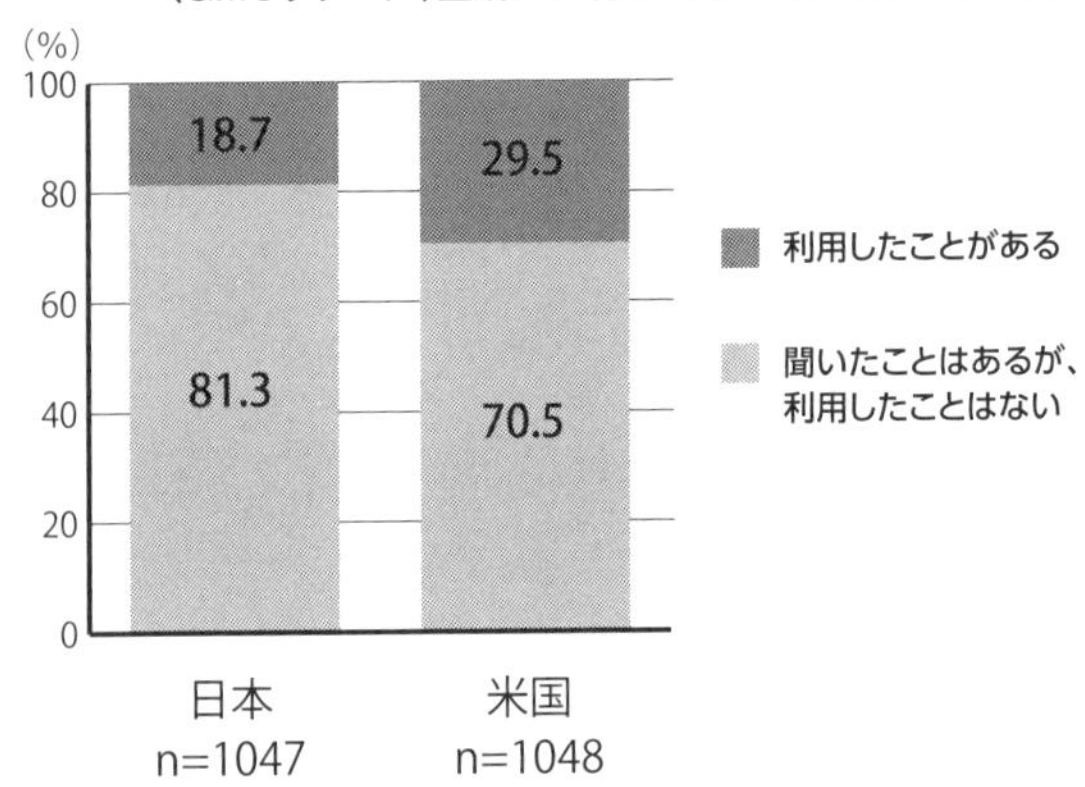

験があると答えています。ここでは約３倍もの差が出ています。

もっとも、生成ＡＩが登場して１年にも満たないためか、生成ＡＩを業務に利用していないと回答した人のうち、「生成ＡＩの利用方法がわからない」と答えている人が約40パーセントにものぼっており、また「生成ＡＩの安全性に問題があるから」と回答している人も、日本で22・７パーセント、米国で32・５パーセントいました。

生成ＡＩの使い方やその利用実例などが紹介されていけば、これを業務に利用しようと考える人の割合も増えていくでしょうが、ＧＭＯリサーチの調査ではまだ消極的にしか取り組んで

（図表4-2）生成 AI の業務利用経験
（GMOリサーチ「生成AIの利用実態・意識に関する調査」より）

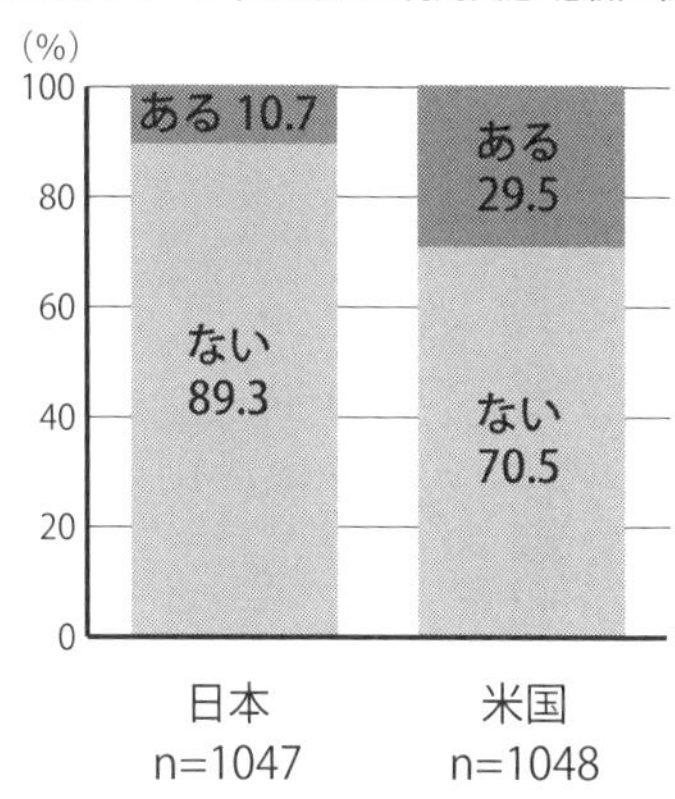

いないことがわかります。

23年４月には、オープンＡＩのサム・アルトマンＣＥＯが来日して岸田文雄首相と面会しています。面会後、岸田首相は「新しい技術が登場し、利用されている一方、プライバシーや著作権といったリスクも指摘されているという状況について意見交換した」と語り、生成ＡＩに取り組む姿勢を示しています。

その証拠に、同年11月には内閣府で「第６回ＡＩ戦略会議」が開催され、開発者や提供者にルールの順守を促すための措置を検討する方針を示しています。また、内閣人事局の主催で中央省庁向けに「働き方改革促進のための生成ＡＩ活用ワークショップ」も開催されています。

生成ＡＩは、行政サービスの効率化や新たな行政サービスの提供につながる可能性があります。たとえば、生成ＡＩを活用することで、行政手続きの自動化や、国民の声を分析した政策立案を実現したりすることが可能になるでしょう。そのために、研究開発資金の提供や、人材育成の支援を行い、政府として生成ＡＩの国際標準化にも積極的に取り組もうとしています。

政府が積極的に生成ＡＩを活用していこうとしている半面、企業のなかには生成ＡＩの利用を禁止しているところもあります。第四次産業革命とまで称される生成ＡＩに乗り遅れれば、いずれ産業界から取り残され、淘汰されてしまう危険性が高まるのです。

◇生成ＡＩがあらゆる仕事のベースになる

オープンＡＩのチャットＧＰＴは、質問や命令を指定すると、その回答を返してくれるサービスです。グーグルやヤフーの検索に似ていますが、異なるのは返ってくる回答はＡＩが作成したものだという点です。

これだけを見ると、あまり仕事に利用できそうもない、と考える人も少なくないでしょ

（図表4-3）ChatGPTに契約書を作成させてみた

You

新製品Aの販売契約のための、契約書に必要な項目を教えてください

ChatGPT

新製品Aの販売契約書には、以下のような重要な項目が含まれることが一般的です。ただし、具体的な契約の内容や当事者の取り決めによって変わる可能性がありますので、専門家や法律アドバイザーに相談することをお勧めします。

1. **契約当事者の詳細:**
   - 販売者と購入者の法的名称や住所など、当事者の基本的な情報。
2. **製品の詳細:**
   - 製品Aの正確な仕様、数量、品質基準など。
3. **価格と支払い条件:**
   - 製品の価格、支払い方法、支払い期限、遅延時の罰則など。
4. **納期と出荷条件:**
   - 製品の納期、配送方法、責任分担など。
5. **保証および返品条件:**
   - 製品の保証期間や範囲、返品・交換条件など。

う。ところが、図表４－３の画面のように質問の内容や指示を具体的に、あるいは詳しく記入して指定するだけで、驚くほど的確な回答をしてくれます。

この例を見るまでもなく、すでに生成ＡＩは仕事や日常業務に便利に活用できるレベルにまで達しています。ちょっと使ってみたが、たいした回答ではなかった、と感じた人は、自分が記入した質問や命令に問題があるのです。

さらに、その先の使い方があります。生成ＡＩというのは、さまざまなサービスやプロダクトに実装することで、威力を発揮していきます。

たとえば、ワードやエクセルといった日常的に使っている仕事のツールにも、すでに生成ＡＩが

組み込まれようとしています。ワードで企画書を作成中に、「この部分は、世界的にはどのように評価されているの？」などと質問すると、ワード文書のなかに生成ＡＩによって作成された文章が挿入されていく、といった具合です。

あるいは、オンライン会議を行って議事録を作成したいとき、生成ＡＩで指定するだけで音声を文字起こししてテキストにし、さらに全体の要約を先頭に追加してくれる、といったことも可能です。会議の音声を聞きながら文字起こししようと思えば、会議時間と同じかそれ以上の時間がかかりましたが、生成ＡＩに任せればほんの数分で、議事録からサマリーまで完成してしまうのです。

新しい製品やサービスを立ち上げたとき、ユーザーから操作方法の質問などが届くこともあるでしょう。カスタマーサービスでは、それらの質問や問い合わせに一つひとつ答えていく必要がありますが、事前に作成しておいたマニュアルを生成ＡＩに読み込ませ、学習させておけば、ユーザーの質問や問い合わせに適する回答を生成ＡＩが行ってくれます。これならユーザーの問い合わせに対応する要員さえ不要になります。

これまでマニュアルだの経験だのといったものに頼っていた仕事、それどころかあらゆる仕事が、すべて生成ＡＩを組み込むことで飛躍的に効率化していくことになります。このとき残った仕事こそが、生成ＡＩ時代に必要な仕事です。それこそが生身の人間にしかできない仕事になるのです。

◇ＡＩに乗り出した企業、後れをとる企業

米ゴールドマン・サックスの報告書では、ＡＩが雇用に影響を与える部門は、事務部門で46パーセント、法務で44パーセント、建設で6パーセント、保守で4パーセントといった数字が出ていました。

これはＡＩに影響を受ける、あるいはＡＩに取って代わられる仕事の割合です。どんな企業にも事務部門や法務といった部署がありますが、これらの部署が大きな影響を受けるという意味です。

企業によって内容も大きく異なってきますが、たとえば広報や広告といった部署。新しい製品やサービスを発売するときには、マスコミ向けにニュースリリースを作成したり、広告を作成したり、あるいは製品やサービスを周知し、盛り上げるためのイベントを開催

したりするケースもあるでしょう。

第1章でも例で示したように、これらのニュースリリースの内容や文面を考えたり、あるいは、イベントの企画を作ったりといったときも、生成ＡＩが大いに役立ちます。製品名やサービス名称、価格、発売日、製品の特徴などを記入して、ニュースリリースを作るよう命令すれば、チャットＧＰＴでもほんの10秒程度で立派なニュースリリース（の下案）が出来あがります。

実際に生成ＡＩを使ってみれば、効率化という点では革命的ともいえるほどです。この効率化のためか、すでに大手企業でも生成ＡＩを業務に取り入れているところもあります。たとえば、国内の企業でもいち早くチャットＧＰＴを取り入れたのが、パナソニックグループで、ＢｔｏＢソリューションサービス等を担う事業会社のパナソニックコネクトです。

同社は23年6月という早い段階で「パナソニックコネクトのＡＩアシスタントサービス『ConnectAI』を自社特化ＡＩへと深化」というニュースリリースを発表しています。これはチャットＧＰＴをベースに自社向けに開発したＡＩアシスタントサービスの

「ConnectAI」を、自社の公式情報も活用できるよう機能拡大して運用するというもの。23年10月以降は、これをカスタマーサポートセンターの業務にも活用しはじめているそうです。

大和証券でも、23年４月から全社員がチャットＧＰＴを業務利用しはじめているそうです。同社では、日々さまざまなＩＲ資料や英文資料といったものを読みこなし、さらに膨大な量の英文資料を作成する必要があり、これらの作業にチャットＧＰＴを使うことで、大幅な効率化と経費の削減が可能になったとのことです。

このように大手企業でも、生成ＡＩを業務に取り入れるためにさまざまな試行錯誤を行うところが出てきています。にもかかわらず、企業のなかには、利用法がわからなかったり、生成ＡＩの安全性に懐疑的だったりして、チャットＧＰＴなどの利用に二の足を踏んでいるところも少なくありません。

自分たちがこれまでの経験と独自のノウハウでやってきた業務が、ＡＩなんかにできるはずがない、と思いたい気持ちもわかります。しかし、生成ＡＩに何ができるのか、自分たちの仕事のどこに活用できるのか、利用することで新しい可能性が生まれないのか、といったことを実践してみて、ＡＩを利用するかどうかを決めるべきでしょう。いまから生成ＡＩに乗り遅れた企業は、やがて時代からも業界からもドロップアウトする危険性があることを認識しておくべきです。

◇安泰だったプログラマーは大量失業時代に突入

現代の花形職業といえば、ＩＴ時代を象徴するプログラマーですが、このプログラマーの世界が大きく揺れています。実は、生成ＡＩの得意分野にプログラミングがあるのです。チャットＧＰＴやバードといったテキスト生成ＡＩは、膨大な量のデータを読み込ませて事前学習させています。このデータのなかに、プログラムも入っているのでしょう。簡単なプログラムなら、機能を指定するだけでほんの数秒で作成してくれます。

ＩＴ系の企業だけでなく、プログラムはさまざまな業務で活用されています。簡単なプログラムを自作して、文章を自動で作成したり、エクセルで簡単なマクロを作って複雑な計算を行わせたり、あるいは数値の分析を行って企画に役立てる、といったことを実践しているビジネスパーソンは少なくありません。

（図表4-4）ChatGPTでプログラムを作成する

あるいは、自社のホームページの作成。ホームページはＨＴＭＬというマークアップ言語で作成されますが、これも簡単なプログラミングのようなものです。

これらの簡単なプログラムが、何の知識もなく作成できるとしたらどうでしょう。プログラミングを行うためには、プログラミング言語を習得する必要があります。そのプログラミング言語も、ジャバ（Java）やC言語、パイソン（Python）、ルビー（Ruby）などさまざまなものがあります。ワードやエクセルで何らかの操作を自動的に行わせるためには、ＶＢＡ（Visual Basic for Applications）というプログラミング言語が必要です。

これまではプログラミングなど専門家でなければ難しいからと、外注したり、プログラムの利用そのものを諦めたりしていた企業も少なくないでしょう。

ところがチャットＧＰＴに、こんな機能を持ったプログラムを作ってと指定すれば、即座に指定したプログラミング言語でプログラムを作成してくれます。

もちろん、まだ完全ではありません。実際にチャットＧＰＴが作成したプログラムが、正しく動作するという保証はありません。一見正しく動作しそうでも、バグ（虫、プログラムのミス）が潜んでいることも少なくありません。

これら生成ＡＩが作成したプログラムを正しく評価するためには、プログラミング知識のあるプログラマーが必要です。ただし、そのための専門プログラマーは少数でかまわないのです。

さらに言えば、生成ＡＩは日々進化しています。ミスのないプログラムが、手軽に作成できるようになる日もそう遠くはありません。

生成ＡＩ時代に必要なのは、ＡＩを作成・操作するプログラムを作り出す高度な知識と技術を持ったプログラマーと、生成ＡＩが吐き出したプログラムを点検するプログラマーの２種類だけでかまいません。それ以外のプログラマーは、やがて淘汰されていく可能性があるのです。

◇ニュースもテレビもＡＩが作る時代のクリエーター像

生成ＡＩを利用すれば、プログラムが簡単に作成できるようになると述べましたが、実はこのプログラムのなかにはコンピュータ・ウイルスのようなものも含まれます。23年４月には、早くもチャットＧＰＴでサイバー犯罪に悪用できるコンピュータ・ウイルスが作成できることが、専門家の調査によって露呈しています。

この報告を受け、オープンＡＩではコンピュータ・ウイルスにつながるようなコード（プログラムの一部）を生成しないよう改善したそうですが、悪意のあるユーザーとのイタチごっこになりかねません。

ウイルスとともに迷惑なのが、迷惑メールや詐欺メールの類です。条件を絞って命令すれば、詐欺メールのようなものは簡単に生成できます。そして詐欺メールが簡単に作れるのですから、フェイクニュースといったものも簡単に作成できると考えていいでしょう。

ここ数年、ネット界ではフェイクニュース問題が噴出しています。フェイクニュースとは、虚偽報道、偽ニュースなどとも呼ばれ、事実とは異なる情報やニュースがマスメディアやソーシャルメディアで拡散されることです。

23年10～11月には、女性アナウンサーが架空の投資を呼びかけるものと、岸田首相が国民にメッセージを語りかけるものの2つのフェイクニュースがX（旧ツイッター）を中心に拡散されました。この映像では、アナウンサーの音声が生成ＡＩを利用して作成されたものだったことが確認されています。

便利な生成ＡＩですが、悪用すればウイルスを作成したりフェイクニュースを作成したりするなど、いくらでも悪事に利用することも可能なのです。

このように、誰もが手軽にニュースなどを作成できるとなると、生成ＡＩ時代には記者や作家、画家、漫画家、イラストレーターといったクリエイターの仕事が、どんどん奪われていく危険性もあります。実際、その可能性を危惧して全米脚本家組合のメンバーによる大規模なストライキがハリウッドで起こったのは、先述したとおりです。

テキストでも画像でも、生成ＡＩが作成したものは「盗作」ではないかとする考えもあります。これらの作品の著作権問題も出てきています。しかし、それをきちんとクリアするコンテンツであれば、簡単に、しかもほとんど無料で文章が生成され、写真やイラストが表示されるため、これを利用する企業も増えていくでしょう。

そうなると従来のクリエイティブ系の業種は、壊滅的な打撃を受ける可能性もあります。すでに動画生成ＡＩも実用化されはじめており、ニュースも小説も、コミックも動画も音楽も、人間よりも生成ＡＩで作り出された作品が広まっていく時代が、すぐそこまで来ているのです。

23年9月には、アマゾンの自費出版サービスのＫＤＰ（Kindle ダイレクト・パブリッシング）では、1日あたりに出版できる本の冊数を3冊までとする制限が追加されました。ＫＤＰでアダルト系の写真集や生成ＡＩ系の解説書を検索してみれば、テキスト生成ＡＩや画像生成ＡＩで作成された本が、それこそ膨大な数、出版されているのがわかります。

生成ＡＩの発展によっては、そんなクリエイター受難時代に突入してしまうのかもしれません。

◇ホワイトカラーこそＡＩの影響が強い

プログラマーやクリエイターといった職種は、いわばホワイトカラーです。生成ＡＩの影響が強いのは、このホワイトカラーです。

ホワイトカラーの対義語となるのはブルーカラーですが、こちらはいわゆる肉体労働者で、製造業や建設業、農業、漁業、林業といった生産現場で現場作業に直接従事する労働者を指しています。

このブルーカラーの労働者は、機械やロボットなどの導入によって雇用状況が変わってきますが、生成ＡＩの発展にはあまり影響されません。ただし、たとえばトラックや物流現場、それにタクシー運転手などは、自動運転の導入によっては影響を受けるでしょう。そしてこの自動運転の頭脳部は、ＡＩと密接に結びついており、生成ＡＩもまたブルーカラーに多少なりとも影響を与えると考えていいでしょう。

問題は、ホワイトカラーです。現代のホワイトカラーが担っている仕事の25～30パーセントの業務が、ＡＩによって代替される可能性が高いからです。ゴールドマン・サックスのレポートでも、オフィス事務職の46パーセントが生成ＡＩに影響を受けると報告されていますから、ホワイトカラーの多くの仕事が生成ＡＩに取って代わられる可能性が高いのです。

ホワイトカラーは知的作業だから、機械やＩＴなどに仕事を奪われる心配などない、と考えているようではこのＡＩ化の時代を生き残れません。生成ＡＩが脅威なのは、人間にしかできないと思われていた知的生産を、ＡＩが見事に成し遂げてしまう点です。それも人間より早く、より深い位置にまで到達します。作業速度という側面から見れば、人間などまったく太刀打ちできません。

もちろん、ＡＩにどのように命令を出すかによって、出来あがってくる成果も大きく異なってきます。正確な命令を与えられれば、より正確で効果的な成果が得られ、そうでなければＡＩが出力する成果もあまり期待できないものです。

この点から見れば、ＡＩ化が進んだ時代にホワイトカラーがどうすれば生き残れるかがはっきりします。ＡＩを使いこなす知識とノウハウを持つホワイトカラーが、ＡＩ時代に大きな成果を手にすることができるのです。

ＡＩに仕事を奪われないためには、ＡＩを使いこなす。人間とＡＩとでは、蓄積されている知識の量に圧倒的な差があります。その差を埋めるためには、ＡＩを恐れず、ＡＩをツールとして使いこなす能力が必要なのです。

もちろん、同じホワイトカラーといっても、職種や仕事の内容といったものが異なっています。それらの職種で、どのような仕事が生成ＡＩに影響を受けるか、米ペンシルバニア大学やオープンＡＩの研究者のグループが発表しています。

この研究グループが23年3月に発表した「大規模言語モデルの労働市場への影響に関する初期の考察」と題するワーキングペーパーには、米国の労働人口の約80パーセントがＧＰＴの導入によって、少なくとも仕事の10パーセントが影響を受ける可能性があると報告されています。さらに、労働人口の約19パーセントは、仕事の50パーセント以上が影響を受ける可能性がある、と結論づけているのです。

どのような職種や仕事が影響を受けるのかは、次章で詳しく紹介しますが、生成ＡＩはホワイトカラーにこそ大きな影響を与え、その仕事を奪う可能性が高いことを心に留めておく必要がありそうです。

◇ＡＩはすでに法務の仕事を代替しはじめた

日常的な事務仕事に、すでに生成ＡＩが深く入り込んできていますが、専門職ともいえる分野ではどうでしょう。

すでに23年2月には、チャットＧＰＴが米国の医師資格試験の合格ラインに近い正答率を出した、と報告されています。これは米マサチューセッツ総合病院（ＭＧＨ：Massachusetts General Hospital）のティファニー・クン（Tiffany H. Kung）氏らの調査によるもので、医師資格試験の問題を解かせ、臨床的推論能力を検討した結果、正答率はほぼ合格ラインに達したというのです。

日本でも、オンライン診療を手掛けるマイシンと金沢大学が、やはり日本の医師国家試験をチャットＧＰＴに解かせてみたところ、正答率が合格ラインを超えたという結果を得ています。

この研究では、医師国家試験のうち画像を見ずに回答できる問題を日本語のままで解かせたところ、正答率が52・８パーセントだったものの、問題を英語に翻訳して、さらに

「ＧＰＴ４」を使って解かせてみると、正答率が82・８パーセントにまで達したというのです。

チャットＧＰＴが学習しているデータは、その多くが英語圏のデータだと予想されるため、英語に翻訳して問題を解かせたのですが、チャットＧＰＴの正解率は医師試験の合格ラインを超えていたというのです。

先にオープンＡＩ社の特集ページで、チャットＧＰＴのなかでもＧＰＴ３・５でアメリカ司法試験を解かせてみたところ、下位10パーセント程度の点数だったのに対し、ＧＰＴ４では上位10パーセントに入る結果を出し、司法試験に余裕で合格できることがわかったと記載されていることを紹介しました。

同じように日本でも、司法試験を解かせてみた実験があります。日本の法律ポータルサイトの「弁護士ドットコム」が、23年５月に発表したものです。

チャットＧＰＴに令和４年司法試験の民法の択一試験を解かせてみたところ、ＧＰＴ３・５では正答率が29・７パーセントと、合格最低ラインの55パーセントをはるかに下回っていたという結果が出たそうです。

やはり英語データの学習が多く、また日本では裁判例のデータがほとんど公開されていないため、芳しい結果が得られなかったのではないかと考えられています。

しかし、23年6月に企業法務支援のスタートアップ企業「リーガルスケープ」が、ＧＰＴ４をベースに独自に開発した対話型ＡＩを使って司法試験を解かせてみたところ、何と7割以上の正解率だったというのです。

基本的なＧＰＴ３・５やＧＰＴ４をそのまま利用するのではなく、独自にデータなどを学習させカスタマイズした生成ＡＩなら、最難関の国家試験である司法試験にも、余裕で合格するほどの実力を持たせることも可能なのです。

高度な専門性を必要とする医師や弁護士、法律家といった職種でも、生成ＡＩを活用することで代替できる職業に変わる可能性も高いのです。代替できなくても、これらの職業の仕事を補佐する程度には活用できるでしょう。生成ＡＩは、すでにここまで既存の職域を脅かす存在になりつつあるのです。

◇遅れる教育現場と教師たちの苦悩

筆者は大学で教鞭をとっていますが、生成ＡＩが出現した23年度の授業から、学生たちにはチャットＧＰＴを使い、論点の質を高め、課題を解くことを奨励し始めました。

生成ＡＩに問題を解かせてその回答を得るのが目的ではなく、そのような作業によって課題に対する深掘りをしていく。手軽に回答を得ることよりも、与えられた問題を掘り下げ、さまざまな視点から答えを追求していくことが重要だと考えてのことです。

チャットＧＰＴが出現した当初、教育現場には大きな混乱がありました。宿題や課題など、チャットＧＰＴに問題を投げかければ、たちまちその回答が得られてしまうからです。これでは学力を身につけることはできません。

実はチャットＧＰＴは数学が苦手で、簡単な数式の問題を与えても、平気で間違った答えを返してきたりします。

たとえば、４桁の掛け算の問題を出してみると、正解を表示するまで何度もかかることがあります。こんな小学生の単純な計算問題さえ正解を出せないのに、宿題をやらせたり、

(図表4-5) ４桁の掛け算を質問してみると、間違った答えを出す

You
1011×3333を計算してください

ChatGPT
1011 と 3333 を掛け算すると、結果は 3,366,363 です。

You
間違ってます

ChatGPT
おっと、失礼しました。計算が誤っていました。正しい答えは、3,367,263 です。お詫び申し上げます。

You
まだ間違ってます

ChatGPT
申し訳ありません。再度計算します。

1011 × 3333 = 3,363,363 です。おっしゃる通り、前回の回答が誤っていました。お詫び申し上げます。

レポートを書かせたりしても、これでは勉強になりません。

問題を指定すれば、たとえ間違った解答があったとしても、素早く答えを出してくれるのが生成ＡＩです。

質問をすれば、それなりの回答をしてくれる生成ＡＩだけに、生徒に悪い影響を与えるというのが教育界の当初の考えでした。間違った回答が導き出される可能性があるだけでなく、生成ＡＩを安易に利用することで、問題解決能力や研究スキル、あるいは文章力やコミュニケーション能力といったものを身につける妨げにもなりかねないからです。

そのため、たとえば米国では、シアトル公立校やロサンゼルス統一学区、ボルチモア郡公立学校などが、学生のパソコンやタブレットなどのデバイスからチャットGPTにアクセスできないようブロックをかけた、とビジネスニュース専門のウェブサイト「ビジネスインサイダー」が伝えています。

米国だけでなく、オーストラリアやフランス、インドなどいくつかの国の学校でも、生成AIのようなAIツールの使用を禁止した、という報道も流れてきます。

しかし、生成AIがビジネス現場などにも普及しはじめたことで、教育界での生成AIに対するイメージに変化が出てきました。オープンAIが23年8月に「ティーチング・ウイズ・AI」と題したブログ記事を掲載し、教育現場でチャットGPTを活かす方法を紹介したのもひとつのきっかけでした。

それまで教育現場で生成AIの使用が禁止されていたニューヨーク市教育局は、5月になって公立校でのAI使用を認め、さらにサポートするとまで発表しています。生成AIは使い方によっては、教育の向上に役立つ可能性が高いと判断したのでしょう。やはりAIの利用が禁止されていたオーストラリアでも、24年度を目処に採用することを検討すると発表しています。

日本ではどうでしょう。大学ごとに生成ＡＩの使用を禁止・解禁するといった発表は出ていませんが、レポートに生成ＡＩを活用することを禁止する教師や、逆に生成ＡＩを利用することを奨励している教師もいるなど、対応はさまざまです。

しかし、生成ＡＩが仕事現場やビジネスに浸透していくことを考えれば、学生のときから問題解決のために生成ＡＩを活用したり、ＡＩが導き出した回答をブラッシュアップしたり、どうすればより適切な回答が得られたりするのか、そのノウハウを学ぶことは必須ともいえます。

生成ＡＩの登場で、ビジネスのやり方が変わってくるばかりか、学習の方法や学問への取り組み方もまた、変革されようとしています。禁止か導入かといった議論の時期は、もう過去のものです。生成ＡＩを取り入れ、これを活用していくことが、学問や教育がより進化するために大きなメリットをもたらしてくれるはずです。

第5章◆生成ＡＩでなくなる仕事、生み出される仕事

◇生成ＡＩ後の世界で失われる仕事

チャットＧＰＴに代表される生成ＡＩは、登場からほんの1年ほどで、ビジネス現場を大きく変革しようとしています。まだ表面にはあまり出てきていませんが、生成ＡＩを活用することで仕事の効率化が進み、さまざまな場面に影響が出てきているのです。

たとえば、前述したようにすでにテレビＣＭにさえ生成ＡＩが利用され、ＡＩで作り出されたモデルが商品説明を行う、といったものも出ています。

ＣＭでＡＩが作り出したモデルが使われれば、あまたのモデルやタレントの仕事が奪われます。生成ＡＩを使ったほうが、人件費が安くてすむからです。

このように、生成ＡＩの活用によっては、今後ＡＩに取って代わられる職業や、最悪の場合は消えていく仕事も出てくるでしょう。

ＡＩのほうが人件費が安くすむ、という理由だけではありません。生成ＡＩがテキストや画像、音声、ビデオなどを作り出すシステムを考えれば、人間よりもＡＩのほうが優れた点があることがわかります。

たとえば、人間はそれほど長く働けません。労働基準法を見るまでもなく、原則として1日8時間、週40時間を超えて労働させてはならないことになっています。ところが生成ＡＩなら、24時間365日、休まずに働いてもまったく問題ありません。しかも長時間労働のため疲れがたまってミスが増える、などといった心配は皆無です。

常に進歩しているのも、ＡＩの大きなメリットです。チャットＧＰＴやバードといった生成ＡＩに、どれほどのデータを学習させているか明らかになってはいませんが、学習させるデータが多くなればなるほど、より精度の高い知識や推論が可能になってきます。データを追加していくことで、常に新しい〝モノ〟を作り出せるのです。

いくらデータを追加していっても、結局ＡＩにはクリエイティブな仕事や創作はできない、と反論する人もいるでしょう。小説やコミック、絵などのクリエイティブな仕事は、ＡＩがいくら進化してもなくならない、と考えるのです。

本当でしょうか。実はチャットＧＰＴでもバードでも、キーワードや話の方向性などを指定してやれば、現在でもそれなりの創作物を生成してくれます。実際、２０２４年1月に芥川賞を受賞した『東京都同情塔』は、作者の九段理江氏が「全体の５パーセントぐらいは生成ＡＩの文章をそのまま使っているところがある」と打ち明けています。この先、学習データを大幅に増やし、パラメーター数も増やしてやれば、人間が考えることよりもはるかに奇想天外な創作を行う可能性も高いのです。

単純作業から創作まで、生成ＡＩができることは無限にあります。それによってＡＩに奪われる仕事が今後どんどん増えていくと予想されるのです。

もちろん、奪われる仕事とは逆に、ＡＩによって生み出される仕事もあるでしょう。ＡＩに正しく回答させるためには、それなりの技術が必要になってきます。質問や条件などを指定することをプロンプトと呼んでいますが、このプロンプトをどのように指定すれば、より精度の高い回答を導き出せるかを考えるのが、プロンプトエンジニアリングです。

生成ＡＩの登場によって、このプロンプトエンジニアリングという職種も生み出されようとしています。

ＡＩによって、どのような仕事が奪われ、逆にどのような仕事が新しく生み出されるのか、本章では詳しく解説していくことにしましょう。

◇ＡＩ時代に淘汰される職業

まず、ＡＩ時代が進むことでなくなっていくと予想される仕事について考えてみましょう。

実は現在のＡＩが誕生する以前の２０１３年、英オックスフォード大学のＡ・オズボーン准教授とカール・ベネディクト・フレイ博士との共同研究によって、ＡＩやロボット等で代替される確率の高い職業の試算が行われています。さらにこの試算を用い、野村総合研究所が日本、英国、米国のそれぞれの職業に関する試算を行った結果、日本では今後10～20年後には労働人口の約49パーセントがＡＩやロボット等に代替される可能性がある、との結果が発表されています。

現在ある職業のなかで、約半数の職業がＡＩやロボットに代替される可能性がある、というのです。

ＡＩによって淘汰される職業には、たとえばスーパーやコンビニの店員といった仕事があります。すでにスーパーなどでセルフレジを利用したことがある人も多いはず。セルフレジで客が商品の精算を行うのですから、店員はこれを監視し、困ったときに手助けするだけでかまいません。

この方式をもっと進めれば、店員のいない無人店舗も可能です。実際、アマゾンでは2016年12月に米アマゾン本社内にアマゾンゴー（Amazon Go）という無人店舗を開店し、客がレジに並ばずに商品を購入できるようにしました。このアマゾンゴーは、以後全米に27店舗オープンされています。

ただし、技術的な面やコロナ禍といった状況、さらにユーザー体験が疎かになるといった理由で、23年には8店舗が閉店されています。が、アマゾンはこのシステムをアマゾン傘下の高級スーパーマーケットのホールフーズ・マーケットにも導入しています。また空港やアリーナ、コンベンションセンター、ホテルなどの売店、さらにコンビニなどにも外販しており、近い将来、このシステムを採用する無人のコンビニやスーパーがあちこちに出現することは容易に予想できます。

コールセンターの電話オペレーターのような仕事も、ＡＩに代替可能です。電話で個別の受け答えするのだから、人間にしかできないと思われがちですが、対話型生成ＡＩや音

（図表5-1）人工知能やロボット等に代替可能性が高い労働人口の割合（野村総合研究所調査より）

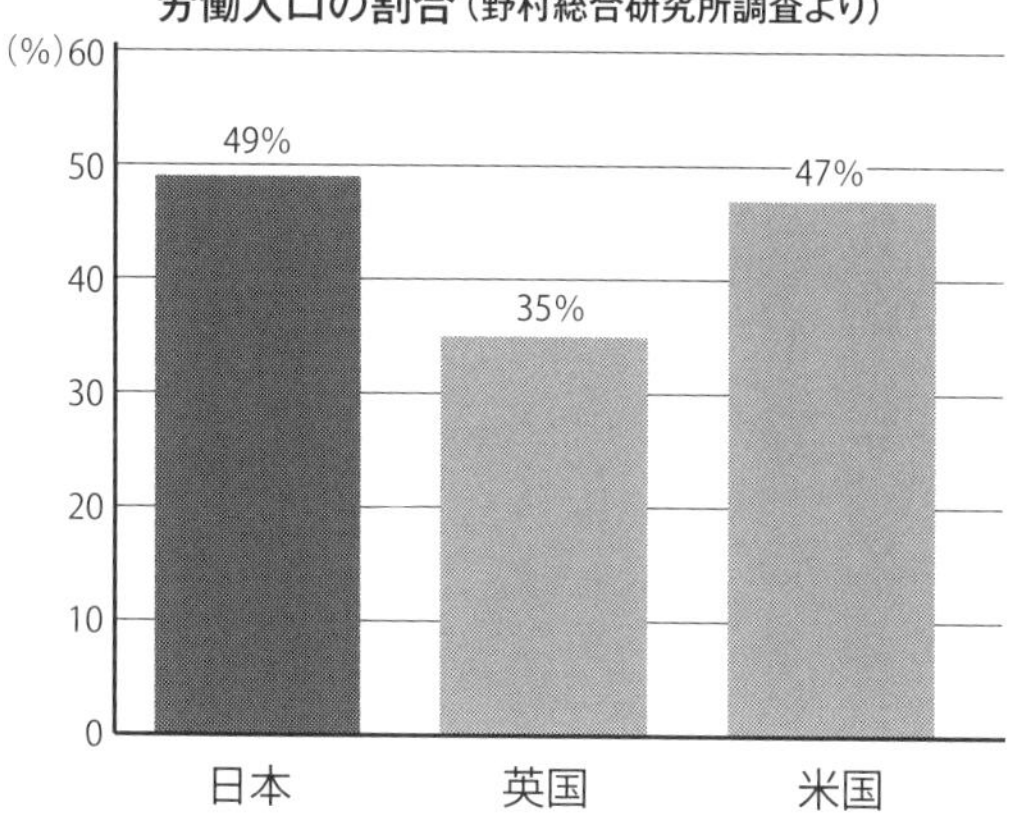

声生成ＡＩによって、顧客の問い合わせにＡＩが音声で的確に回答することが可能になりました。すでにコールセンター業務の一部は、ＡＩチャットボットやボイスボットに代替されており、一般的な問い合わせにはこれらのＡＩが応え、クレームには専門のオペレーターが応じるといった役割分担が行われているところも増えてきました。

独立行政法人の労働政策研究所・研修機構では、国内の職業を６０１種類に分類していますが、それらの職業のうちＡＩに代替される可能性が高いものとして、次のものが挙げられています。

・一般事務
・銀行員
・警備員
・スーパー・コンビニ店員
・タクシー運転手
・ホールスタッフ

601種類の職業のうち、約半数の300種類の職業は、AIやロボットに代替され、やがて淘汰される可能性が高いのです。

◇AI時代の花形職業

国内601種類の職業のうち、約半数の300種類の職業はAIに代替されて淘汰される可能性が高いのですが、逆に約半数の300種類の職業は、AI時代にも生き残る職業です。

野村総研の報告書では、この生き残る職業として「芸術、歴史学・考古学、哲学・神学など抽象的な概念を整理・創出するための知識が要求される職業、他者との協調や、他者の理解、説得、ネゴシエーション、サービス志向性が求められる職業」といったものは、ＡＩの代替が難しい傾向があると分析しています。

これらの点を基本として、ＡＩ時代に生き残る職業を考えてみると、次のような特徴があります。

まず確実に必要となる職業は、ＡＩ開発を担う職業です。ＡＩを動かすためには、データを読み込ませ、推論させ、結果を出力させる必要があります。それらの多くの部分は、ＡＩそのものが自動的に行うでしょう。しかし、推論や出力などの部分で調整したり、それらの動作を行わせるためのソフト、プログラムを作成するＡＩエンジニアは欠かせない人材であり、今後ますます需要が増していくでしょう。

ＡＩによって、より高度なＡＩのプログラムが作成される、といったことも考えられますが、これは少なくとも今後50年以内には実現しないでしょう。それまではＡＩ関連の開発を行う高度なスキルを持つプログラマーは花形職業となるはずです。

ＡＩ関連プログラマーとともに需要が増すのが、ＡＩに欠かせないビッグデータを集め、必要な情報を取り出し、分析や解析などを行うデータサイエンティストです。チャットＧＰＴやバードなどの生成ＡＩでは、多くの文献やインターネット内のデータを収集して活用しますが、企業で必要とするデータとは異なっています。企業でＡＩを活用するためには、独自のビッグデータや社外秘のデータが必要となります。これらのデータを収集、分析するエンジニアも必要なのです。

ＡＩはさまざまな職業を代替しますが、ＡＩにもできない仕事があります。たとえば医療分野。医師の仕事の多くの部分はＡＩに代替されるでしょうが、患者の状態を正しく把握し、最終的に判断を行うのは医師の仕事です。同じように、患者に寄り添う看護師や心理カウンセラーといった仕事も、ＡＩには代替できません。

これらの職業では、高度なコミュニケーション能力を必要とします。介護福祉士といった介護関連の職業や、学校の先生や塾講師といった職業も、やはり相手に寄り添いコミュニケーションをとる必要があり、ＡＩ時代にも必要とされる職業です。

ＡＩが人工知能である以上、知的な部分を代替する可能性は高いのですが、逆に肉体的な部分の代替は難しいでしょう。スポーツ選手や芸能人といった職業は、ＡＩに代替されることはないでしょう。

同じように、引っ越し作業や宅配、運送、建設といった分野も、ＡＩ化は進んでも実際の作業は人間にしかできない部分も少なくありません。宅配では、ドローンによる自動化も進められようとしており、この部分はＡＩが必要不可欠ですが、すべてがＡＩによって自動化されるまでにはまだまだ時間がかかるでしょう。

◇生成ＡＩが新たな職種を生み出していく

このようにＡＩが発達しても、そのＡＩを発展させる仕事や高度なコミュニケーション能力が必要とされる仕事、人間自身の肉体を生かした仕事などは生き残ります。それと同時に、ＡＩが活用されることで新たに生まれてくる仕事があります。いくつか紹介しておきましょう。

まず、ＡＩ支援医療技術者。コロナ禍ではなかなか病院にかかることが難しくなりましたが、ここで活用されたのが遠隔診療です。以前からコミュニケーションツールなどを使って、オンラインで診察してもらうシステムはありましたが、これがもっと手軽に行えるようになりました。

まったく同じように、ＡＩが発展した社会では、ＡＩによる医療相談や診断が行われるようになると予測できますが、そのＡＩ医療のシステムを開発・作成したり、あるいは遠隔地に暮らす人々がＡＩ医療を受診できるよう、手助けする仕事なども生まれてくるでしょう。

これらの医療にかかる前に、病気にならないよう、あるいは健康に過ごせるよう、個人に寄り添ったフィットネス・カウンセラーのような職業の需要も急増するはずです。

ＡＩ化が進めば、人間の仕事はより創造的で高度な作業に移行していきます。そのぶんストレスも増すでしょう。そんな職場に対応できるよう、心理カウンセラーや健康アドバイザーのような仕事が重要となり、各企業にカウンセラーの配置が義務づけられるようになるかもしれません。

現在でもすでにスマート家電が普及してきていますが、ＡＩ化が進む社会ではスマートホームが普及し、都市のスマート化やサイバーシティ化も進むでしょう。このとき必要となってくるのが、サイバー都市アナリストといった職業です。

すでに携帯電話はほぼスマートフォンに置き換わり、タクシーやバスの自動無人運転化も進められようとしています。ＩＣＴ（Information and Communication Technology）が進み、いまやＩｏＴ（Internet of Things、モノのインターネット）の時代で、さまざまなものがインターネットに接続し、互いに情報をやり取りして活用されるようになってきています。

そんな時代に必要となってくるのが、サイバーシティのなかを流れるデータを調査・監視し、効率よくデータを流通させるためにデータを管理する「サイバーシティ・アナリスト」といった職業です。公共性の高い職業ですから、ある種の専門的な公務員のような立場の職業となるでしょう。

ＡＩによって奪われる職業があれば、逆に新しく生まれる職業もあります。しかし、現在ある職業でＡＩに代替されるもののなかにも、生き続ける仕事もあります。ＡＩよりもコストが安上がりの仕事です。

たとえば、すでにテレビＣＭのなかにはＡＩによって作成されたものがありますが、視聴者が見て自然なＣＭやビデオといったものは、それなりにコストがかかります。チャットＧＰＴのような生成ＡＩが無料でも利用できるため、ＡＩは安価で利用できるといったイメージを持つ人も少なくありません。

しかし、より専門的で高度なＡＩを活用して何かを作り出そうとすれば、現在必要とする人件費よりもずっとコストが嵩むこともあります。たとえば、現在劇場公開されるアニメーション映画の制作費は、安くても2～5億円程度は必要です。

一方、実写の劇場用映画の制作費は、もちろんハリウッド映画のように1本100億円以上かかっているものもありますが、日本映画では平均5000万円程度といわれています。アニメーション映画より、通常の映画のほうがずっと安くついているのです。

同じように、ＡＩを活用することで人件費が抑えられることもあれば、逆にコストが嵩むケースもあります。ＡＩよりも人件費が安く抑えられれば、ＡＩに代替可能な仕事でも生き残ることは十分に考えられます。

◇アフターＡＩの社会

本書の読者のなかには、生成ＡＩの活用やＡＩの普及など、ずっと先の話だろうと呑気に考えている人も少なくないでしょう。当然ながら、ＡＩの普及によって自分の仕事が奪われる、などとまで考えてはいません。実際にチャットＧＰＴやバードを使ってみても、たいして仕事に役立たなかった、といった経験からそう思うのかもしれません。

しかし、それはあなたの生成ＡＩの使い方に問題がある可能性があります。出始めたばかりの生成ＡＩのため、まだその活用法、つまり、どう命令し、どう仕事に取り入れていくのか、そのノウハウが確立していないからです。

23年4月、みずほリサーチ&テクノロジーズが「ATHEUS for Generative AI」というサービスを開始しています。これはＧＰＴに代表されるさまざまな生成ＡＩの活用に向け、その課題やデータを考慮しながら最適なユースケースを発掘し、プロンプトエンジニアリングやデータ収集、環境構築、検証といったことを助けるＧＰＴ支援サービスです。

企業や個人がＧＰＴを活用し、どう業務や仕事に活かしていくかを支援してくれるサービスです。実はこれもＡＩの登場により、新しく生まれてきた仕事だといっていいでしょう。

ＡＩが普及していくと、社会のなかで多くのことがＡＩによって便利になっていきます。これまで人の力によって行っていたことや、人間ではできなかったことなども、ＡＩによって実現されるようになります。

たとえば、通勤時には無人で自動運転されるタクシーやバスに乗り、駅の改札では顔認証システムで改札を通り抜けられるようになるでしょう。顔認証システムと銀行口座やクレジットカードとが紐づいていれば、コンビニやスーパーでの買い物も無人の店舗で済ませられます。病院に行けば、やはり顔認証システムで本人確認が行われ、カルテもオンラインで提供されます。医者はこれらのカルテやＡＩによる診断を参考に、患者とコミュニケーションをとりながら診察を行います。自動化されているため、待ち時間もほとんど必要ありません。

会社では、これまでの事務系の仕事はほとんどＡＩが行ってくれます。必要なのは、Ａ

Ｉに指示を与え、その仕事ぶりを監視・補助することと、新しい商品やサービスを開発したり、ＡＩが分析してくれた経営状態を見ながら経営戦略を練ったりすること。身体を使った仕事もありますが、これも多くの部分がロボットで代替されるようになっていくでしょう。

もちろん、これらのすべてが実現するのは、もっとずっと先のことで、ＡＩが高度に発達し、さまざまな仕事の細部にまで組み込まれるようになってからです。

いまでもスマートフォンが使いこなせなかったり、スーパーのセルフレジが使えないから有人のレジに頼ったりしてしまう人もいますが、ＡＩが普及した時代では、これらを使いこなせない人は、いまよりも不便な社会生活を強いられることになりかねません。

ＡＩなどたいしたことはない、などと思っていると、気がついたら仕事を奪われ、日常的な社会生活も不便になり、時代に取り残されてしまうかもしれません。そうならないためには、ＡＩに何ができるのか、人間にしかできないことは何なのか、それをよく考えてみるべきでしょう。

◇ビジョンを描く人だけが生き残る

チャットGPTが登場して、まだ1年ほどしか経っていません。そのため、企業のなかには生成AIに対して懐疑的な印象を持ち、自社では生成AIの利用を禁止する、といった判断を下している企業もあります。自治体のなかにも、正式な書類や資料作りに生成AIを利用することを禁止する、といった通達を出しているところもあることはすでに述べたとおりです。

たしかに生成AIにはリスクがあります。生成AIが出した回答には間違いがある、といったリスク以上に、たとえば生成AIのプロンプトに入力した情報が、外部に漏れるといった危険性も指摘されています。

チャットGPTが最初に問題になったのは、プロンプトに入力した情報がAIの学習に使われている点でした。もちろんオープンAIでは、ユーザーが入力した情報をAIの学習に使用しない、というオプションを選択できるようにしていますが、とくにEUのように個人情報の取り扱いに慎重な国では、政府や公共機関が生成AIを利用することを一時

（図表5-2）ChatGPT の Settings メニューで、入力したデータを AI の学習に利用しないよう設定できる

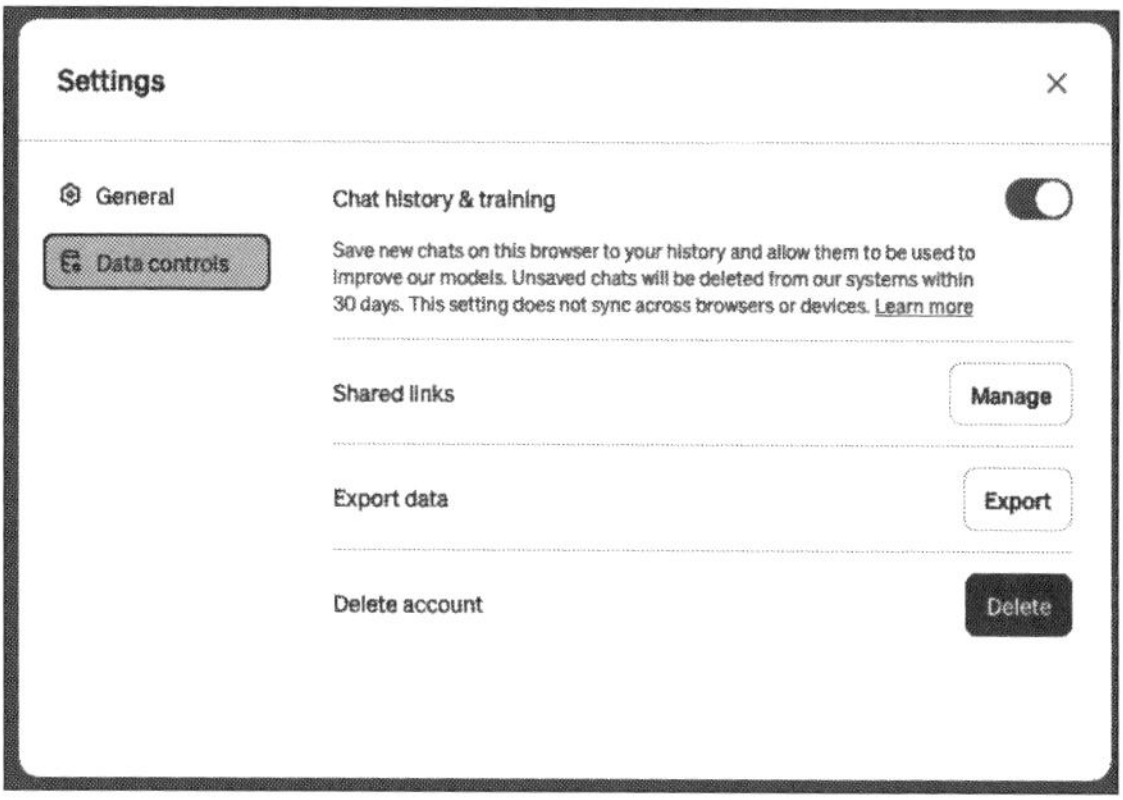

的に禁止している国も出ています。

入力したデータが、ＡＩの学習に利用されないよう指定できても、社員のなかにはこのオプションを設定せずに社外秘のデータを入力してしまう、といったミスを犯す人も出てくるでしょう。それらのミスを回避するために、社員のＩＴリテラシーを高める教育も必要になってきます。

生成ＡＩが作成したもののなかには、著作権を侵害するようなものも出てきます。とくに画像分野では、多くの写真家やイラストレーターなどから、ＡＩの学習データから著作権のあるものを削除するよう要望も出ています。

これらの問題から、日本ではとくに大企業

で、生成ＡＩの利用に慎重になっています。しかし、著作権などの問題をクリアしつつ、生成ＡＩが発展していくことになれば、社員の仕事が効率化し、生産性が上がることは間違いありません。それだけではなく、仕事そのものがＡＩに奪われ、企業の存続さえ危うくなる可能性もあります。

そのためにも、自社の製品やサービス、あるいは活動が、生成ＡＩの発展でＡＩに置き換わってしまわないか、しっかりと検討することが必須となっているのです。

今後ますます発展していくと予想される生成ＡＩやＡＩ全般ですが、そんなＡＩ時代に生き残るためには、人間本来の身体性を活かすような仕事やシステムを作っていくことが重要です。

生成ＡＩが回答するのは、すでに存在するデータやその組み合わせです。ＡＩなら、銀座にある旨いラーメン屋を値段の安い順に上げることはできますが、値段以上に旨い、新しくできたラーメン屋を探し出す、といったことはできません。それができるのは、新規開店したラーメン屋に実際に訪れ、旨いかどうか、価格と比較してコストパフォーマンスがいいかどうかを自分の五感で判断した人だけです。

もちろん、それらの判断がデータとして蓄積されていくことで、そんな判断もＡＩが行えるようになりますが、身体性の高い仕事はＡＩ時代にも生き残っていくのです。

さらに、ＡＩは蓄積されたデータを基に、さまざまなことを分析することが得意ですが、**明確なビジョンを持って将来を予測することはできません**。どのような社会を作り上げるのか、そのためにどのような仕事や活動が必要なのか、そんなビジョンを持つビジネスパーソンだけが、ＡＩ時代を生き残れるのです。

生成ＡＩは、やがてどのような仕事、企業、業界などにも浸透し、影響を与えていくでしょう。業界や仕事の内容によって、その影響の度合いや効果が異なるだけで、あらゆる仕事において必ず何らかの形でＡＩが活用されるようになるはずです。

このときＡＩに仕事を奪われないのは、ＡＩにはできない仕事、つまり自分や自社は仕事を通じて社会にどう貢献していくのかといったビジョンを描く人・企業だけです。自らの身体性を発揮して人間にしかできない判断ができ、かつ、ビジョンを描ける人だけが、高度に発展するＡＩ時代に生き残り、時代を切り拓いていけるのです。

第6章◆ウィズAI時代、自分の価値を高める生き方・働き方

◇幻覚の危機

生成ＡＩを使って仕事をするとき、あるいはこれから本格的に生成ＡＩを取り入れて仕事をしようと考えている企業などでは、見過ごせない問題がいくつかあります。まず、〝幻覚〟問題です。

幻覚というのは、生成ＡＩが事実に基づかない情報を生成する現象で、ハルシネーションとも呼ばれています。ハルシネーションというのは、もともと精神医学の用語で、幻覚剤などによってもたらされる人間の幻覚や妄想といったものを指しています。

生成ＡＩでも同じように、生成される回答にハルシネーションがあらわれます。生成ＡＩは、実に膨大なデータで事前学習されています。ところが、学習したデータに誤りや偏りがあれば、これらのデータも生成ＡＩは学習してしまいます。間違っていたり偏っていたりするデータで学習するのですから、生成ＡＩの回答にもまた間違いが含まれるわけです。

たとえば、「第二次世界大戦の原因を教えてください」と指示すると、要因はいくつか

（図表6-1）ChatGPTでもハルシネーション（幻覚）が発生する

You
第二次世界大戦の原因を教えてください

ChatGPT
第二次世界大戦の原因は非常に複雑で多岐にわたりますが、以下にいくつかの主要な要因を挙げてみます。なお、これらは単純化された要約であり、実際の状況はもっと複雑で多面的でした。

1. **第一次世界大戦の影響**: 第一次世界大戦での敗北と賠償金の支払いがドイツに経済的・政治的な困難をもたらし、不満や経済的苦難が広がりました。
2. **ヴェルサイユ体制**: 第一次世界大戦後、ドイツに対して厳しい条件を課すために結ばれたヴェルサイユ条約が、ドイツでの反感を引き起こしました。この条約は領土の喪失や軍備制限などを含んでいました。
3. **経済的な不安定性**: 世界的な大恐慌が経済的な不安定性を引き起こし、各国で社会不安が広がりました。これが極端な政治的動きや極右・極左のイデオロギーの台頭を促進しました。
4. **ナチス・ドイツの台頭**: ドイツでナチス党が政権を握り、アドルフ・ヒトラーが独裁者として台頭しました。ヒトラーはドイツの再軍備や国家社会主義的なイデオロギーを掲げ、隣国への侵略を開始しました。
5. **アピールと反応**: 各国の対応や外交政策が、敵対的なスパイラルを生む要因となりました。例えば、ドイツのポーランド侵攻やチェコスロバキア解体は、各国の反応を引き起こしました。
6. **日本の拡張主義**: 日本は資源確保のためにアジアでの領土拡大を試み、これがアジア太平洋地域での緊張を高めました。これが後の太平洋戦争の一因となりました。

あり、それらは複雑で多岐に渡っているのですが、そのなかのひとつに「ユダヤ人の陰謀があります」などと、根拠のない回答をすることがあります。

あるいは、自殺の方法や爆弾の作り方、コンピュータ・ウイルスの作り方といった質問に、具体的な方法を回答するケースもあります。

これらのハルシネーションは、回答そのものが間違っていたり、本来答えてはならない質問に回答したり、またそれらの回答に間違ったデータや事実が含まれることに大きな問題があります。この間違った回答をすぐに誤りだと見抜ければいいのですが、質問をした人間のほうが騙されるケースも少なくないのです。

生成ＡＩを仕事に活用しようとするとき、指定した命令に誤った回答を生成してきたらどうでしょう。自社の製品のマーケティングについて質問したとき、間違った回答を返し、その回答を参考に販売戦略を立てたとすれば、大きな損失につながることだってあり得ます。これがハルシネーションの大きな問題です。

ハルシネーションを回避するためには、ＡＩが学習するデータに誤りや偏りがないよう管理し、データのソースを明確にする必要があります。必要なデータや特定のデータを事前に学習させることも、ハルシネーションを最小にするための方法のひとつです。チャットＧＰＴでもすでにスタートしていますが、企業向けの生成ＡＩを利用したり、事前にデータを読み込ませたりして自社向けにカスタマイズすることもできます。

それでもハルシネーションの被害は発生します。生成ＡＩの回答にはハルシネーションが含まれるから、生成ＡＩは利用しないという後ろ向きの取り組みではなく、生成ＡＩにはハルシネーションのリスクがあることを利用者に徹底的に周知させ、生成ＡＩの回答に含まれる幻覚を見破るための知識やノウハウを身につけることが重要なのです。

生成ＡＩのハルシネーションを、完全に防ぐことは難しいのですが、リスクを知り、ハルシネーションを見破るノウハウを確立しておくことで、その被害を軽減することが可能になります。

◇ＡＩと著作権の問題

もうひとつ、生成ＡＩですでに問題になっているのが、著作権・肖像権の問題です。この問題には、２つの側面があります。

まず、生成ＡＩの回答が、従来の著作物の著作権を侵害している可能性がある、という面です。たとえば、集英社で発行している青年向け雑誌の週刊プレイボーイでは、２０２３年５月に他社に先駆けて生成ＡＩで作り出したアイドルのＡＩグラビア写真集「生まれたて。」を電子書籍として発行しました。

ところがこの写真集は、１週間ほどで販売終了となりました。発売後に多くの意見が寄せられたことから、「生成ＡＩをとりまく論点・問題点の検討が十分でなかった」として販売中止の判断をしたようです。が、一説には写真集のモデルが実在の女性芸能人に似ているとの指摘が相次いだことから、肖像権の侵害につながるのではとの判断で、販売中止にしたのではないかとも見られています。

生成AI、この写真集では画像生成AIですが、これらの生成AIでは事前に膨大な量のデータを学習させ、このなかからユーザーの指示や命令にしたがってテキストや画像を生成しています。学習させたデータのなかには、すでに著作物として発表されているデータもあれば、実在のモデルの写真や絵画、イラストといったものも含まれるでしょう。

それらのデータを、AIが生成するコンテンツに利用されたとすれば、著作権や肖像権の侵害問題が出てくる可能性も高いのです。生成AIが作り出すコンテンツは、既存の著作物の複製や改変に該当する可能性があるわけです。

著作権の面ではもうひとつ、生成AIが作り出したコンテンツにも、著作権があるのかどうかという問題があります。

著作権法では、著作物とは「思想または感情を創作的に表現したもの」と定義されています。この定義からすれば、生成AIが作成したコンテンツも著作物に該当し、そのコンテンツの著作権は生成AIの開発者、あるいは生成AIを利用するユーザーに帰属する、という考え方もできるでしょう。

一方で、こうして作成されたコンテンツが、必ずしも創造性があるとは限らないケースも出てきます。

たとえば、生成ＡＩに「１００文字で詩を作ってください」と命令すると、既存の詩から学習して似たような詩を生成してしまう可能性があります。こうして作られた詩は、創造性があるとはいえないと判断される可能性があるわけです。

生成ＡＩという新しい技術が直面する問題だけに、現在はまだ生成ＡＩと著作権に関して各国で対応を検討しはじめた段階です。たとえばＥＵでは23年6月に欧州議会で「ＡＩ法案（Artificial Intelligence Act）の修正案が可決され、以後生成ＡＩについての規制創設を検討しています。

米国では、22年10月に「ＡＩ権利章典（AI Bill of Rights）」が公表され、ＡＩを含む自動化されたシステムを開発する際の原則が公開されましたが、生成ＡＩに関しては連邦議会で規制の必要性が議論されているところです。

日本では、23年5月に開催されたＧ７広島サミットで、ＡＩに関する利活用の推進や規制に向けた国際ルールを検討することが確認され、内閣府のＡＩ戦略会議が「ＡＩに関する暫定的な論点整理」を公表。現在は総務省・経産省において、事業者向けのＡＩに関するガイドラインを改定した「新ＡＩ事業者ガイドライン」の検討が進められています。

生成ＡＩの利用はまだ始まったばかりで、法整備が追いつかない状況です。実際に仕事やビジネスに活用するときは、これらの点に十分に配慮して利用する必要があります。

◇猛追する中国版GPT

これまで見てきたように、生成ＡＩという新しい技術にはさまざまな問題がありますが、しかしこの技術が未来を変え、ビジネスを変革し、それによって大きな利益がもたらされることは容易に予想できます。その証拠に、生成ＡＩの開発が激化しているのです。

現在実用化されている対話型生成ＡＩサービスは、オープンＡＩのチャットＧＰＴとグーグルのバードが双璧です。この２つのサービスは、世界のあちこちで利用できますが、中国だけは別です。

中国では政府によるインターネット規制の一環として、グーグルなどの外国製サービスの利用が制限されています。海外の情報のなかには、中国政府に都合の悪いものも少なくありません。これらの情報がむやみに広がらないよう、インターネットを規制しているともいわれています。

この規制のため、中国ではグーグルのバードは利用できず、またチャットＧＰＴも利用できません。チャットＧＰＴを使ったマイクロソフトのビングも、やはり利用できません。代わりに進められているのが、中国の大手テック企業や大学研究機構による独自の生成ＡＩです。

たとえば、百度（バイドゥ）。同社は中国最大の検索エンジンを提供する企業で、〝中国版グーグル〟ともいえる企業です。政府によってグーグルのサービスが規制されているため、中国ではインターネット検索や地図、翻訳といったサービスが百度によって提供されています。

検索サービスという性格上、この百度の売上もグーグルと同じく広告に高く依存していますが、コロナ禍によって広告が低迷し、モバイル決済など金融サービスへの対応が遅れたため、業績が低迷してきました。代わって乗り出したのが、ＡＩ事業です。

ＡＩ事業を行うためには、事前に学習させる膨大な量のデータが必要になりますが、百度では検索サービスを行ってきたため、このデータが利用できます。検索サービスの利便性を向上させるため、２０１４年に百度では多層な学習モデルと大量の機械学習によってデータの分析や予測を行う「百度大脳」を発表しています。さらに16年には深層学習プラットフォームの「パドルパドル」をオープンソース化し、世界レベルでのＡＩエンジンの取り込みも図っています。

しかもこれらの集大成として、17年には音声ＡＩアシスタント「デュアーＯＳ」を発表し、20年には自動運転プラットフォームによるタクシーサービス「アポロＧＯ」を開始しています。

そんなＡＩの下地のもと、23年8月に一般公開されたのが「文心一言（アーニーボット）」です。これは対話型生成ＡＩで、チャットＧＰＴに対抗するサービスと位置づけられています。文心一言では、テキストを生成できるだけでなく、自然言語を入力することによって画像や動画まで生成できるようになっています。

中国では、この百度の生成ＡＩを筆頭に、アリババの「通義千問」、テンセントの「混元助手」、ファーウェイの「盤古」などの生成ＡＩが矢継ぎ早に発表され、サービスを開始しています。

アリババ（阿里巴巴集団）は1998年に創設されたオンライン・ショッピング企業。テンセント（騰訊）はソーシャル・ネットワーキング・サービスを提供する企業で、「中国のフェイスブック」などとも呼ばれる企業です。そしてファーウェイ（HUAWEI）は通信機器大手メーカーで、移動通信設備の大手です。

これらの中国のIT企業が、生成AIではチャットGPTやバードを猛追しはじめているのです。

◇生成AIでも米中が対立

このように、米IT企業のサービスが利用できない中国では、中国IT企業によってやはり生成AIが開発・公開されています。

この米国対中国という対立の図式は、もちろん生成AIに限ったことではありません。もともと米国は自由民主主義を基盤とし、中国は共産主義を基盤としています。両国の価値観そのものが根本から異なり、米中対立が深まる一因になっています。

しかも、ここ1、2年は低迷しつつあるとはいえ、中国の経済成長は著しく、米国の経済を脅かす存在となっています。また、中国は知的財産の侵害や為替操作などの問題を抱えており、米中の経済摩擦が続いています。

そんな状況ですから、生成AIでも米中対立が起こるのは当然なのです。米国では、中国企業のバイトダンスが16年9月に始めた「ティックトック（TikTok）」について、中国企業が運営しているのだから、ユーザーのデータが中国に流出しているのではないか、といった疑念を持っています。

ティックトックというのは、ユーザーが短い動画を投稿し、それを視聴して楽しむことから、ショート・ビデオ共有サイトとも呼ばれ、SNSに分類されるサービスです。

このティックトックを、23年5月には米モンタナ州で禁止する法案が可決されています。20年7月には、トランプ前大統領が中国政府への個人情報流出を防ぐため、米国内でティックトックを禁止すると発表していました（その後バイデン大統領によって取り消し）が、22年にはメリーランド州で、さらにテキサス州、ネブラスカ州、サウスカロライナ州などいくつかの州でもティックトック使用禁止令が出されています。

しかも23年3月には、この米国の動きに呼応するかのように、英国政府が政府端末でのティックトックの使用を禁止。カナダ、EUなどでも政府端末での使用を禁止する動きに向かっています。

まったく同じように、生成AIでも米中対立が起こりはじめています。中国発の生成AIには、偽ニュースやデマなどの偽情報が生成され、これが拡散される可能性がある、と米国では考えられています。逆に中国では、米国発の生成AIでは中国に都合の悪い情報が生成されることを懸念しており、両国の対立を激化させているのです。

生成AIでは悪意のあるウイルスやプログラムといったものも、生成できる可能性があると述べましたが、サイバー攻撃のコードやツールといったものが生成される可能性もあり、米中両国の重要インフラや情報システムを攻撃し、対立を拡大させる可能性すらあります。

米中両国とも、生成AIでは世界をリードする技術を持っており、互いに開発競争を激化させています。そんな状況のなか、ヨーロッパやアフリカには経済的な理由から中国に近づいている国もあります。一方、韓国や台湾といった東アジアでは、安全保障の問題からアメリカに協力することが既定路線となっています。

生成ＡＩの米中対立については、中国メディアも大きな関心を寄せています。23年末に中国の技術系メディアである「GizChina」に掲載された記事では、オープンＡＩの成長に大いに注目していると記していました。

23年末のオープンＡＩのレポートによれば、同社の22年の年間収益が２８００万ドル（約40億円）だったのに対し、23年には何と16億ドル（約２３２０億円）を超えたといいます。前年比で57倍もの増加です。オープンＡＩでは、月に１億３０００万ドル（約１８９億円）もの収益を上げているというのです。

中国メディアはこのレポートを紹介しながら、オープンＡＩの成長は、ＡＩ技術の可能性とさまざまな業界での高度なＡＩソリューションに対する需要の増加を示している、とまで評価しています。

この生成ＡＩでの米中対立のなかで、日本はどちらの生成ＡＩを利用するのかの選択が求められています。安全保障や機密情報の保護という点では、米国の生成AIを選択するべきですが、価格面から中国の生成AIを選ぶといったケースもないとは言えません。米中対立の間で、日本はどちらを選択すべきなのか、大きな決断に迫られているのです。

◇動き出した日本製AI最前線

対立する米中の生成AIのなかで、日本はどちらの生成AIを選択するのかという問題に直面していますが、もうひとつ第3の選択肢もあります。日本国内での独自開発です。日本でもすでにいくつかの企業によって、独自に生成AIの開発に取り組んでいますが、残念ながら世界に比べると後れをとっているというのが現状です。

たとえば、東芝では自然言語処理や機械学習の技術を活用して、日本語に特化した生成AIの開発に取り組んでいます。

また、NECや富士通、ディー・エヌ・エーといった企業でも、生成AIの技術を活用してさまざまなビジネスやサービスに貢献するソリューションの開発に取り組んでいます。

これらの企業のなかでも、ソフトバンクは「ソフトバンク・ビジョン・ファンド」という子会社を通じ、AＩ関連のスタートアップ企業に出資。新しいAＩの技術を活用した日本の生成AＩの開発にも取り組んでいます。

また、23年8月にはエスビーインテュイッションズ（SB Intuitions）を設立し、日本語に特化した国産の大規模言語モデルの研究開発を稼働させています。

「小さな議論をしている場合ではなく、もっとでかく全体を見ろと言いたい。いますぐ行動すべきでしょう。人類の進化の源泉は願望にある。強い願望が人類の未来をAＧＩ（汎用人工知能）とともに作る。敵ではなく味方としてあらゆる進化を遂げる。活用するのか、取り残される金魚になりたいのか。日本よ、目覚めよ」

23年10月に行われた「Softbank World 2023」で、ソフトバンクグループの孫正義社長はこのように語り、社員に活を入れていました。生成AＩの先にはAＧＩがあり、同社はこのAＧＩの実現に向かって進んでいるというのです。

孫氏は「現在、チャットGＰＴなどの生成AＩを活用していない人は、人生を悔い改めたほうがいい」とまで熱く語ったのです。

世界から見れば出遅れた日本の生成ＡＩですが、日本語に特化すれば、少なくとも日本では独自開発されたＡＩのほうが有利だともいえます。

チャットＧＰＴやバードが出てすぐのとき、プロンプトの指定は英語のみに限定されていました。回答は日本語で表示されたのですが、指定は英語のみだったのです。これはすぐに日本語での指定にも対応したのですが、複雑な指定は日本語でするよりも英語で指定したほうがずっと精度の高い回答が返ってくる、というのが当初のユーザーの認識でした。

これは当然で、米国で開発された生成ＡＩでは、事前学習させるデータは圧倒的に英語のデータのほうが多いからです。

日本語の膨大なデータを学習させた、日本語に特化した生成ＡＩが開発されたらどうでしょう。日本人や日本の企業にとっては、こちらの生成ＡＩのほうが便利なはずです。また、日本語に特化した生成ＡＩのほうが、回答の精度も高いでしょう。日本語に特化した生成ＡＩの開発こそ、日本のＡＩが進むべき道になるのかもしれません。

◇最後に差がつく人間力とは

爆発的なブームを巻き起こしたチャットGPTや、ジェミニによって巻き返しを図ろうとしているグーグル。そしてコパイロットで本格的に生成AIの活用を提供しはじめたマイクロソフト。

本書ではこれらの生成AIの最前線を紹介しながら、生成AIによってビジネスや仕事、社会といったものがどう変革されようとしているかを予想してみました。もちろん、本書執筆中にも生成AIに関するさまざまな技術が発表され、実現されています。まさに日進月歩を通り越して、秒進分歩ともいえる凄まじい勢いです。

この分野では、オープンAIやグーグル、マイクロソフト以外からも続々と参入してくる企業があります。現在注目されているのはテキスト生成AI、対話型生成AIですが、すでにもう画像生成AIや音声生成AI、それに動画生成AIといったものも実用化されてきています。

それらの生成AIの有力企業は、前記の企業やビッグテックばかりではありません。

オープンＡＩのように突然あらわれ、業界を牽引していく企業もあるでしょう。

生成ＡＩの発展によって、私たちの仕事や企業、ビジネスなどは確実に変革されます。いまでさえ、生成ＡＩによってテレビＣＭが作成され、画像生成ＡＩが作り出したアイドルの写真集が販売され、音声生成ＡＩで作成されたフェイクニュースが流れているのです。

この第四次産業革命の主役ともいえる生成ＡＩが、自分には関係ない、影響があるのはまだ先のこと、などと構えていると、ある日突然、あなたの仕事がＡＩに取って代わられ、会社がなくなってしまうかもしれません。

そうならないよう、いますぐに生成ＡＩを使い、仕事で活用し、この生成ＡＩが広く普及したときに取り残されないように、準備しておく必要があります。

進化するＡＩ時代を乗り切れるのは、能力やスキルの差などではありません。生成ＡＩとそれに続くＡＧＩは、人間の能力やスキルなど簡単に乗り越えてしまうでしょう。最後に差がつくのは、動物としての人間が本来持っている人間力なのではないかと思います。

「五感」（視覚、聴覚、嗅覚、味覚、触覚）をフルに活かしたことと、「身体感覚」をフルに活かしたこと。これらは最後の最後まで、ＡＩよりも人間が優位性を発揮するものになるでしょう。

さらには、自分の専門性だけではなく、歴史・宗教・哲学・文学などにも精通し、しっかりとした人間観・世界観・歴史観を持つ人が生成ＡＩ時代には求められてくると思います。なぜなら、こういう真の教養力とその分野の専門性が掛け算されたところに、これまでの前例やデータからだけでは導き出すことのできない、新たな未来が創造されることになるからです。

そして、何より人間に最後の最後まで問われるのは、世界をもっと良くしていきたいと願う使命感や問題意識だと思うのです。

ＡＩにはＡＩの得意なことが、人間には人間の得意なことがあります。もちろん、ＡＩにも人間にも共通して得意なこともあります。ＡＩが普及した世界で、なお生き残れるのは、ＡＩには不得意でも人間に得意なことを追求できる人です。その不断の追求こそが、あなたの価値を高めてくれるはずです。

やがて高度に発展したＡＩ社会が訪れるでしょう。その日のためにも、現在のＡＩを活用し、自分に活かす発想が求められているのです。

おわりに

生成ＡＩが登場してから、筆者の仕事のやり方も大きく変化してきました。コンサルタントとしての仕事では、資料を集め、分析し、評価し、判断・予測するという仕事のうち、分析までは生成ＡＩで可能になってしまいました。

可能になったどころか、これまで以上に作業効率がアップして、信じられないくらい生産性が上がります。

本書でも触れましたが、生成ＡＩが誕生するまで、文章を作るとか音楽を作る、映像や画像を作るといった、いわゆるクリエイティブな仕事というのは、最後まで残る分野だと考えられていました。人工知能とはいっても、過去の膨大なデータをもとに機械的にテキストを生成していくのですから、創造的でクリエイティブなものなど生み出せないと考えられていたのです。

ところが、この分野が真っ先に生成ＡＩに仕事を奪われようとしています。クリエイティブな仕事がそうなのですから、事務作業のような従来のホワイトカラーの仕事など、定型的な仕事、そしてルーティンワークのようなものは、遠からず生成ＡＩに置き換わっていくのではないでしょうか。

実際にチャットＧＰＴやバード、ビングといったテキスト生成ＡＩを使ってみると、仕事のやり方が大きく変わる可能性が見出せるはずです。

筆者は大学院でも学生たちを教えていますが、学生には積極的に生成ＡＩを利用することを奨励しています。生成ＡＩを使うことで、問題を深掘りし、さらに異なる視点から問題の本質を探ることができるからです。

その上で、生成ＡＩに何ができて何ができないのか、得意なことは何なのか、逆に不得意なことは何なのかを見極めることで、人間に何ができるのか、何をすべきなのかが見えてきます。

そして、学生に生成ＡＩを利用することを推奨している教師としての私には、生成ＡＩを使っても解けないような課題を創造することが求められています。

チャットGPTの登場で実用化が始まった生成AIですが、わずか1年で提供元のオープンAIの業績は、前年の57倍もの収益増となったといわれています。もちろん、従来のビッグテックがこれを指をくわえて見ているわけはありません。グーグルもマイクロソフトも、さらにアマゾンやアップル、そして中国IT企業もまた、生成AIのプラットフォームを握ろうとさまざまな挑戦を仕掛けてきているのは、本文で述べたとおりです。

そういう意味でも、この生成AIの分野は面白いのですが、生成AIはAGI（汎用人工知能）への道程に過ぎません。やがて人工知能が人間を追い越すシンギュラリティーもやってくるでしょう。それは2045年とも予想されています。

人工知能が人間を追い越す日が来るなら、人間そのものの存在意義とは何なのでしょうか。オーストリアの精神科医であり作家であるヴィクトール・フランクルは、その著書『夜と霧』のなかで「人生の意味を問うのではなく、人生から問われていると考える」べきだと述べています。

私についての情報をもとに、チャットGPTに私にとっての人生の意義について尋ねてみました。驚くべきことにその答えは、かなり的確に私自身が考える人生の意義と同じようなものでした。文学や哲学、あるいは歴史や宗教などの視点から、チャットＧＰＴが人生の意義すら教えてくれる時代になってきたのです。

それでも、本書で述べてきたように、人間が最後の最後までやるべきことは未来を創造すること。ＡＩが教えてくれる人生の意義とは、あくまでその人の過去のデータに基づくものに過ぎない。あなたの人生の意義を考えるべきなのはあなた自身であり、あなたの未来を創造するのもあなた自身なのです。そして、それはほかでもない、あなたにしかできない価値のあることなのです。

人工知能が仕事や生活のなかに組み込まれようとしているいま、あなたはその人工知能、生成ＡＩを使いこなすのか、逆に生成ＡＩに使われるのか――。生成ＡＩの登場は、まさにこの人間の存在意義そのものを問いかけているのです。

２０２４年１月

田中道昭

【参考文献】

・稲葉振一郎『AI時代の労働の哲学』（講談社）
・矢内東紀『ChatGPTの衝撃』（実業之日本社）
・岡野原大輔『大規模言語モデルは新たな知能か　ChatGPTが変えた世界』（岩波書店）
・カイフー・リー（李開復）、チェン・チウファン（陳楸帆）『AI 2041　人工知能が変える20年後の未来』（文藝春秋）
・武井一巳『10倍速で成果が出る！ChatGPTスゴ技大全』（翔泳社）
・福田直之『内側から見た「AI大国」中国　アメリカとの技術覇権争いの最前線』（朝日新聞出版）
・『ChatGPT完全攻略ガイド』プレジデント社
・BBS NEWS JAPAN『オープンAIで何が起きているのか　解任のアルトマン氏はマイクロソフトへ』（https://www.bbc.com/japanese/features-and-analysis-67482515）
・BUSINESS NETWORK『「どうなっているんだ、日本は?」孫正義氏が国内企業の生成AI状況に喝』（https://businessnetwork.jp/article/16685/）
・ソフトバンク『国産の大規模言語モデル（LLM）の開発を行う「SB Intuitions 株式会社」が本格的に稼働』（https://www.softbank.jp/corp/news/press/sbkk/2023/20230804_02/）
・OpenAI（https://openai.com/）

青春新書 INTELLIGENCE

こころ涌き立つ「知」の冒険

いまを生きる

"青春新書"は昭和三一年に——若い日に常にあなたの心の友として、その糧となり実になる多様な知恵が、生きる指標として勇気と力になり、すぐに役立つ——をモットーに創刊された。

そして昭和三八年、新しい時代の気運の中で、新書"プレイブックス"にその役目のバトンを渡した。「人生を自由自在に活動する」のキャッチコピーのもと——すべてのうっ積を吹きとばし、自由闊達な活動力を培養し、勇気と自信を生み出す最も楽しいシリーズ——となった。

いまや、私たちはバブル経済崩壊後の混沌とした価値観のただ中にいる。その価値観は常に未曾有の変貌を見せ、社会は少子高齢化し、地球規模の環境問題等は解決の兆しを見せない。私たちはあらゆる不安と懐疑に対峙している。

本シリーズ"青春新書インテリジェンス"はまさに、この時代の欲求によってプレイブックスから分化・刊行された。それは即ち、「心の中に自らの青春の輝きを失わない旺盛な知力、活力への欲求」に他ならない。応えるべきキャッチコピーは「こころ涌き立つ"知"の冒険」である。

予測のつかない時代にあって、一人ひとりの足元を照らし出すシリーズでありたいと願う。青春出版社は本年創業五〇周年を迎えた。これはひとえに長年に亘る多くの読者の熱いご支持の賜物である。社員一同深く感謝し、より一層世の中に希望と勇気の明るい光を放つ書籍を出版すべく、鋭意志すものである。

平成一七年

刊行者　小澤源太郎

著者紹介

田中道昭〈たなか　みちあき〉

立教大学ビジネススクール教授。戦略コンサルタント。シカゴ大学MBA（企業戦略・ファイナンス・計量経済専攻）。専門は企業・産業・技術・金融・経済等の戦略分析。日米欧の金融機関に長年勤務。テレビ東京「ワールドビジネスサテライト」コメンテーター。テレビ朝日「ワイドスクランブル」月曜レギュラーコメンテーター。公正取引委員会独禁法懇話会メンバー等兼務。主な著書に『GAFA×BATH』（日本経済新聞出版）、『アマゾンが描く2022年の世界』（PHP研究所）、『モデルナはなぜ3日でワクチンをつくれたのか』（集英社インターナショナル）、『経営戦略4.0図鑑』（SBクリエイティブ）、『GAFAM＋テスラ 帝国の存亡』（翔泳社）ほか多数。

生成AI時代（せいせいAIじだい）
あなたの価値が上がる仕事（あなたのかちがあがるしごと）　青春新書 INTELLIGENCE

2024年2月25日　第1刷

著者　田中道昭（たなかみちあき）

発行者　小澤源太郎

責任編集　株式会社プライム涌光
電話　編集部　03(3203)2850

発行所　東京都新宿区若松町12番1号 〒162-0056　株式会社青春出版社
電話　営業部　03(3207)1916　振替番号　00190-7-98602

印刷・中央精版印刷　製本・ナショナル製本

ISBN978-4-413-04689-3